Christian Evidence Series

EVIDENCE FOR THE VIRGIN BIRTH

by

Keith Ward

Professor of the History and Philosophy of Religion, King's College, London

Published by Mowbray for
THE CHRISTIAN EVIDENCE SOCIETY

Copyright © Keith Ward, 1987
ISBN 0 264 67114 7

Reprinted with amendments 1989

First published 1987 for the Christian Evidence
Society by Mowbray, an imprint of Cassell, Artillery House,
Artillery Row, London, SW1P 1RT.

Typeset by Getset (BTS) Ltd., Eynsham, Oxford
Printed in Great Britain by Tisbury Printing Works Ltd., Salisbury

Evidence for the Virgin Birth

THE GOSPELS of Matthew and Luke clearly assert that Jesus was conceived by the Holy Spirit in the womb of Mary, and that he had no human father. This belief, popularly known as a belief in the virgin birth of Christ, seems to many people to be strange and even irrational. I suggest, however, that it is as well attested as very many of the beliefs Christians have about Jesus; and that it is an entirely plausible and natural belief, if one accepts that Jesus is indeed the only-begotten Son of God, who was raised from death and lived a life of quite unique identity with God. In the first part of this essay I shall look at the New Testament evidence. In the second part I shall show how the virgin birth has a deep spiritual meaning and significance for a full Christian faith.

A Unique Occurrence

It must first of all be noted that a virgin birth is, and is meant to be, a unique occurrence. In the Bible there are quite a number of miraculous births, when the mothers were beyond the normal age of child-bearing – as with the mothers of Isaac and John the Baptist. But there is no precedent for a conception without a human father. Thus such a birth would clearly mark Jesus out as quite different from any of the patriarchs or prophets of Israel, as a wholly unique person. It would not mean, of course, that Jesus was not fully human. He would still have forty-six chromosomes and the same biological constitution as any other person. The fact that none of them came from Joseph is not of any biological significance. So Jesus would certainly be a human being, though marked out from everyone else by the manner of his conception.

It should also be said straight away that the fact of the virgin birth does not imply in any way that there is something wrong with sexual intercourse. Christians have always taught that marriage is a good and holy relationship, instituted by God himself. But it is quite obviously true that if Mary was visited by an angel, and conceived a child without knowledge of any man, she and her immediate family would be in no doubt at all of the uniqueness of Jesus from the very first. This was to be no ordinary baby; and the accounts in the Gospels which record the birth are clear that Jesus was regarded as very special from the first.

It is sometimes said that since the Gospels of Mark and John do not mention the virgin birth, and St Paul does not do so either, it must have been a later invention of some groups of early Christians. But that is a very weak argument. Paul hardly mentions anything about the life of Jesus; and Mark and John are very selective in the materials they record. They may not have known the birth stories, which were probably treasured by small groups who knew the family well; or they may have omitted them for very good reasons, most probably because they were not important to the sort of account they were giving of Jesus' life. Arguments from silence are never very strong.

It is also sometimes pointed out that the genealogies in Matthew and Luke both end with Joseph. The compilers, it is then suggested, must have thought Joseph was the real father of Jesus. That argument is just as weak as the first. Since both Matthew and Luke believed in the virgin birth, they would hardly have included the genealogies if they thought the virgin birth of Jesus was contradicted by them. The fact is that Joseph was the head of the family, and so counted as the father of Jesus for genealogical purposes. He gave his name and lineage to Jesus, in a quasi-legal sense. It is as though he had adopted Jesus, and thus became the legal father as well as the social father, though not the genetic father.

The strongest argument for the veracity of these accounts is that it is very hard to see why they should have been invented, when they would be so shocking to Jewish ears. We know that a story was circulated very early on that Jesus was illegitimate, and one would think the apostles would hasten to assert that Jesus was both a legitimate child and the genetic heir of King David. But they did not. On the contrary, fifty per cent of the Gospel writers go out of their way to shock their hearers still further by asserting that Jesus had no father at all. What could have been their motive, except to say what was true?

Matthew 1.23 does cite Isaiah 7.14, which says, 'A young woman shall conceive and bear a son', and translates it as 'A virgin shall conceive and bear a son'. But it is not plausible to suggest that the whole story arose out of a mistranslation from an ancient Hebrew text – as though Matthew found the text, mistranslated it, and then made up a whole set of stories to make his own mistranslation come true. It is vastly more probable that, believing in the virgin birth, Matthew looked through the Old Testament for relevant passages, found this one and translated it as 'virgin' – which it could sometimes mean, anyway – to bring out the predestined nature of Jesus' life and mission.

On close reading, the accounts in Matthew and Luke are different both in substance and character. Matthew seems to have derived his account from Joseph, ultimately, and Luke from Mary. So Matthew tells about an angel appearing to Joseph, the wise men visiting the house in Bethlehem and the flight to Egypt. Luke does not mention any of these things. Instead, he speaks of the angelic visitation to Mary, the birth of John the Baptist, the visit of the shepherds to the stable where Jesus was born, and the presentation in the Temple. What this suggests is that there are two independent sources of the virgin birth stories; and that increases the probability that they were founded on historical recollections of fact, drawn from different groups or individuals. There is no point trying to guess why Luke does not mention the visit to Egypt, since we do not know. But again, his silence does not show either that it did not happen or that he did not know about it. For some reason it did not fit into the flow of his account. The two accounts are not contradictory, however. And if there are two distinct accounts of the virgin birth, the basic fact that such a birth occurred becomes more, not less, likely.

A Question of Motive

There are two basic explanations of why these stories exist, and take up quite a large space, especially in Luke's Gospel. One is that they are based on fact. They are recorded, even though they could give rise to scandal and could seem incomprehensible to Jewish readers, just because Joseph and Mary knew that they were true, and had passed on these memories to various groups of early disciples (not indiscriminately to just anyone, it might well be thought, considering their very delicate nature). The other possible explanation is that these accounts are legendary. There were no such traditions, springing from the immediate family of Jesus – even though members of that family would still be alive when the first Gospel accounts were written down, and though James the brother of Jesus was evidently one of the apostles and could easily have stamped out these rather odd rumours, if they were false. What happened, it is sometimes said, was rather like this (though this account is based purely on imagination, in the nature of the case): the early Christians believed that Jesus was the Messiah. So they began to invent stories which would magnify his importance, and bring out his very special role in God's purpose for the world. Stories of virgin births are not entirely unknown, in some religions. The Buddha, for example, was said to be born when a white elephant entered the side of his mother while she was asleep, and she conceived. It must be said, however, that the Buddhist legend arose hundreds of years after Gautama Buddha was dead, not within the lifetime of his family. And it is obviously legendary or dream-like in a way that the Gospel accounts are not. Little was more anathema to Jews than pagan myths of various sorts; and the idea that the very Jewish Matthew could have imitated some pagan myth in this way seems wholly unlikely.

Anyway, the explanation goes on, some early Christians found these stories of virgin births of the gods, and decided that Jesus would have to be at least as miraculous as they were. And so the virgin birth stories are pure literary legends, not based on history at all, which are simply trying to make the point that Jesus was a very special person.

The main difficulty with this whole explanation is that it is based on one huge logical fallacy. The fallacy is as follows: first of all, it is argued that the virgin birth stories arose because the writers wanted to show that Jesus really was the Messiah. They said, in effect, 'Jesus was the Messiah. And if he was the Messiah, then he must have been marked out from birth in a very special way. In fact, he must have been born of a virgin; so we will say that he was'. But the proposition, 'If he was the Messiah, he must have been miraculously born' strictly entails the proposition, 'If Jesus was not miraculously born, then he was not the Messiah'. If you believe one of these sentences, you have to believe the other. So the Gospel writers, according to this alleged explanation, are in fact destroying their own case. For of course they knew Jesus was in fact not born of a virgin; from which it follows that he could not have been the Messiah after all.

In other words, the Gospel writers would have had to be stupid to believe, both that Jesus was the Messiah; that he was not in fact born of a virgin; and that if they made up the story of a virgin birth, that would show that he really was the Messiah. The fallacy is to think that you can bring out the real meaning of somebody's life by giving an account of something that never happened, that was never part of that person's life. And I hesitate to think that the Gospel writers were that stupid.

As a matter of fact, I doubt very much whether the virgin birth stories could have been regarded by the Gospel writers as bringing out the meaning of Jesus' life. The stories were so odd and uncomfortable that they did not really know what meaning to give to them at all. So they just told them, as they had heard them, and left it to later generations to discover their meaning.

Now of course all must admit that trying to assess historical probabilities like this is a very tricky business. None of us really knows what the Gospel-writers thought or what their reasons might have been. In that case, it seems best to receive the documents as what they themselves say they are – as Luke, who says most about the virgin birth, puts it, 'Many have undertaken to compile a narrative of the things which have been accomplished among us, *just as they were delivered to us by those who from the beginning were eyewitnesses*' (Luke 1.1). That is what Luke says, that he is writing an orderly account that Theophilus may know the truth of what happened. If it then turns out that the first two chapters (as we call them) of his account are wholly fictional, I think we have little reason to trust the rest. We have to balance the clear assertion of Luke with the very speculative conjectures and guesses of those who claim the real truth is very different from what Luke says it is – even though we are now about two thousand years away from events he knew at second or third hand.

Miracles and Science

The real reason why the fact of the virgin birth has been rejected by some recent students of the Gospels is not, however, anything in the texts themselves. It is a much deeper prior belief that miracles, especially miracles as surprising and as physical as that, cannot happen. There was even a leading article in an issue of the scientific journal, *Nature*, in 1985, which said that the scientific view of the world excludes the occurrence of miracles by definition. That leading article was immediately attacked by a number of scientists, as being far too dogmatic and irrational. And it is indeed irrational to deny the possibility of miracles. If there is a God, who creates and holds in being the whole of the natural world at every moment, then it is true that all the laws of physics and chemistry and so on must be held in being by him. We may well hope that he will continue to allow such laws to operate; otherwise we would never quite know what was going to happen next. But there is no reason at all why he might not sometimes do things which are not predictable from the laws of physics or biology alone. God can do what he wants with his own universe. And though Christians believe that he will allow us freedom to act responsibly within limits, and that he will normally cause things to happen in accordance with laws of nature, there is nothing odd about supposing that God may also act directly in ways which do not come within the scope of the laws of nature at all.

The philosopher David Hume, who wrote an essay trying to prove that miracles were impossible, admitted that it is always logically possible for laws of nature to be broken. We cannot exclude occurrences inexplicable by general laws of nature just by definition. But the argument might be that, though God *could* bring about events like the virgin birth, which exceed the natural powers of things, he *would* not do so. Perhaps he has limited himself to not interfering with the course of nature. After all, he did not interfere to prevent terrible tragedies at Auschwitz, and in many other places when whole peoples were exterminated ruthlessly. So it seems that God does not act in particular, miraculous ways, even if he could theoretically do so.

The implications of this argument are much deeper than is sometimes thought. If God never acts in particular ways in the world, then he could not really have become incarnate in Jesus. He could not have raised Jesus from the dead. He could not have liberated the Israelites miraculously from Egypt. He could not have done most of the things the Bible says that he did. Now it is alright for an atheist to say these things; for an atheist does not believe in God at all. But how can a Christian say them, and still retain any respect for Biblical revelation?

We might well ask where Christians get their idea of God from. If they get it from the Bible, then it would be extremely odd to deny most of the things the Bible does actually say about God, and still maintain that the few things that might remain give us an accurate picture of God. The Biblical picture of God is unequivocally the picture of a God who acts in particular ways and for particular purposes. He chooses one people to be set apart to worship him. He chooses Mary to bear his Son. He chooses Paul to be his apostle. He is constantly making particular choices.

Now these choices might seem odd to us; and we might be unable to explain why he does not act more often to relieve suffering and tragedy in the world. But the fact that we cannot explain why God acts in the ways he does is not really very surprising. It would, however, be irrational to accept that there is a God because of what the Bible says, and at the same time to say that most of what the Bible says about God is wrong. Of course there are problems about the nature of God's action. But it is no answer to these problems to get rid of them by saying that God does not act at all.

Belief in God
Some people seem to think their problems will be made easier if God only acts on human minds, and not on physical matter. He can perhaps try to persuade us, or enlighten our thoughts by his presence or inspire us in various ways. But he will not descend to the vulgar level of moving electrons or chromosomes about. However, that argument will not stand up to examin-

ation. It is widely accepted that the relationship of mind and brain is so close that any change in people's thoughts and feelings must be reflected in a change in the physical state of their brains. You cannot modify anyone's thoughts without also modifying their brain-states. So, if God ever modifies anyone's thoughts – by making his presence felt, for example – he is in fact modifying their brain-states, too. In other words, you cannot avoid the fact that, if God ever acts on human minds at all, then he acts in quite physical ways on human brains. Once you have conceded that point, why should you think that God only acts on matter when it is in human brains, but never otherwise?

It would be possible to have a God who never acted in particular ways in history; but I am not sure where the idea of such a God would come from, or why anyone should believe it. Christian belief in God is based on one stupendous claim that Jesus was raised from death and appeared to his disciples; so that God is known precisely in historical facts. Of all world religions, Christianity is least able to separate religious facts from historical facts. Its distinctive claim is that God makes himself known in history. Historical facts are, at the same time, religiously significant facts. Their significance lies precisely in the fact that they show the character and activity of God. If those things never happened, then of course they cannot show the character and activity of God at all.

We might put it like this: if there is a God who wishes to reveal his nature and unite to himself for ever all those who will respond to him, one would naturally expect that he will do something, and something quite distinctive, which does reveal his nature and purpose. He will not leave it to people to theorize and speculate and guess at what he might be like and what his purposes might be. He will show them. If there is a personal God, it is very likely that he will act in some specific way to show his purposes for human beings, in ways which leave their freedom intact. To the extent that there are not such specific acts of God in history, it is less likely that there is a personal, redeeming God at all.

Christianity is not a philosophy or a general theory about the world. It is based on the life, death and resurrection of an actual human being. So we do not need to be giant intellects to recognize God's revelation. It is there for the simplest of people to see and respond to. And that is surely how it should be. If there is an active, living, personal God with a purpose for the human race, we should expect to see some historical events which are so distinctive and startling that they seem to show the meaning of the whole historical process. We should expect to see miracles.

But if that is so, it might be said, why are there not more miracles? As I have said, I do not expect to understand why God acts as he does. But consider the traditional Christian claims about Jesus, and it may throw a great deal of light on the question. Jesus is a person marked out as different from anyone else who ever lived. He is marked out by his sinlessness, his closeness to God and his amazing impact on those who followed him. But the chief thing that marks him out is that he was regarded, by his disciples, as having died to atone for the sins of the world and as having been raised from death to vindicate his mission and proclamation of the Kingdom of God. No one else has even been claimed to have been raised from death in this way; so the whole Christian Church came into existence because of a belief that this person was wholly unique. In a very short time, he was actually worshipped by his followers as the one who showed the fulness of God in human terms, and who was declared to be the Judge of the living and the dead.

The Uniqueness of Jesus
It is essential to the Christian faith, then, that Jesus should be unique. Even so, he was not saved from suffering and death. God did not intervene to prevent the evil which humans inflict upon one another. Instead, he shared in the consequences of that evil; he suffered for the sins of the world. The miracle of the resurrection did not make suffering go away or avoid it. What it did was to take that suffering and show that the love of God could not be defeated by it. This suggests that people who look for miracles as a way of avoiding suffering are looking for the wrong thing. God does not act to eliminate the evil that human beings do to one another. He lets their freedom work out according to its own inherent pattern, for good and ill.

Nevertheless, the miracle of the resurrection suggests that God enters into human suffering and shows that evil will not conquer good, that his love is invincible, even though it will not interfere to destroy the freedom he has given to his creatures. What God does is to show the way to meet evil and conquer it in and through suffering. He shows that the way of the cross is also the path to true glory, the glory of the Father. So God's miracles do not happen to get us out of the mess we humans have got ourselves into, as if evil and suffering were not real. When God acts in these particular and special ways, it is to show how he enters into our human situation and transforms it from within. He shows, by his particular actions in history, that there is a higher goal and purpose for our lives, and he shows us the way to achieve it. By his unique action in Jesus, he reveals to us that we are destined for eternal life. And precisely because his action is unique, he shows that it is by relation to Jesus Christ that we can come to realize our proper destiny.

If Jesus was not in fact unique, if he was not raised from death, none of this would be securely founded. It would remain a pious hope, a mere speculation. Whereas in fact, Christians say, our hope is founded on a real historical event which turned a bunch of frightened dispirited men into a community which changed the world. And the point is that, for all this to be true, Jesus has to be unique in his death, in his rising from death, and in his life, a life of sinlessness and unity with the Father. But if he is unique in his life and death, what is so strange in thinking that he is also unique in the manner of his birth? It is not that we could have invented the virgin birth, even in the wildest flight of imagination. Only God could have done something so strange and unexpected. But how natural and proper the virgin birth is, when it is seen as the beginning of a life which was in all its detail and importance, of absolutely unique significance for the whole future of the world.

I have argued that God certainly could have caused Jesus to be conceived without a human father; and that it would have been a natural thing for him to do. Miracles only seem unnatural when we forget that there is a personal God who wants to act in unique ways to show the proper goal of human life and the way to attain it. Once we see miracles in their context as showing the presence and purpose of God, as opening the way to salvation for all people, and as rooting the saving acts of God securely in historical facts rather than in obscure theological theories, then we begin to see how the Biblical miracles surrounding the history of Israel and the life of Jesus have an inner rationality and coherence. But is there a more specific theological meaning to the virgin birth, which gives it a special importance for those who want to give their lives to Christ? Again without wishing to claim any special degree of insight into God's intentions, I think that the Church has seen such a meaning, as it has reflected on the doctrine over the centuries.

A New Beginning

In the Christian view, the birth of Jesus was actually a new beginning for humanity. As, at creation, the Spirit moved over the waters of the earth to bring light to birth; so, at this new creation, the Spirit moved in the womb of Mary to form the one who would be the light of the world. The conception of Jesus really was a new Spirit-born creation, a new start for the human race. As the Gospel of John puts it, the children of God are 'born, not of blood nor of the will of the flesh nor of the will of man, but of God' (John 1.13). And the children of God are those who receive that one true Son of God into their lives. It is then wholly appropriate that Jesus should be born not of the will of any man, but of God himself. If one accepts that Mary is *Theotokos*, mother of God, and not of a man who was later believed to be Divine, then one sees that incarnation was, from the very first moment, the act of God, not the success story of a good man.

God could have become incarnate without being born of a virgin; he is certainly not the physical father of Jesus, in any straightforward sense. So it is possible to believe that Jesus is the son of God without accepting the virgin birth. I do not suppose that anyone comes to believe in Jesus' divinity because they first believe in the virgin birth. Nevertheless, the occurrence of such a birth makes quite clear the fact that Jesus comes into being at the initiative of God himself, and by a direct and unique Divine activity. The beginning of his life is the beginning of a new Divine-human presence in the world, which is continued in the Church. The early Christian churches had a sure instinct when they gave the title 'mother of God' to Our

Lady. For it makes the point that Jesus was not a man who came to feel very close to God. He was God himself, in the flesh and blood of a human being. The fact of the virgin birth would help to sustain this belief, not just in a theoretical way, but in the most direct and unmistakable way, by ascribing his conception to the direct and unique action of the Holy Spirit.

The Nature of Faith

The virginal conception of Jesus, as it is properly called, also teaches us something important about the nature of faith. For Mary's part was to say 'yes' to God, to accept the summons of God to share in his redemptive work in the world, and to let the new Divine life be born in her by the Holy Spirit. Mary shows the pattern of faith of all those who trust in Christ. That faith is not something that grows by a long and arduous process of ascetic self-denial, as though one hauls oneself up to God by one's own boot-straps; it is a trusting response to the prior saving act of God. So God calls us all to say 'yes' to him, and to let him bring Christ to birth in us, by the creative activity of the Holy Spirit. Thus Mary's assent to the angelic salutation is in the truest sense a sacrament, an outward and visible sign of the inner faith that God calls for in every human soul. To that extent, the virgin birth helps to bring out the meaning of faith.

Moreover, consider how very differently Mary and Joseph, and even Jesus himself, must have looked upon the life and destiny of this child if the virgin birth did occur. Mary and Joseph would have known from the very beginning that Jesus was the son of God, born to fulfil a unique role in Israel and in the world, to be 'a light to lighten the Gentiles, and the glory of his people Israel'. It is sometimes said that Jesus, being a Jew, could not possibly have believed that he was Divine, or even that he was the Messiah. Those who say that assume the virgin birth did not happen. But suppose that Jesus was born as the Gospels of Matthew and Luke say he was. Then he would have known from his mother and father that he was not as other men. Born of the flesh of a woman, he would yet have known his own uniqueness. He would have had the best of reasons, if he needed them, for thinking that he was not deluded in believing he had a special role in Israel, and that he was, in a very direct sense, the unique son of God. If the virgin birth did occur, Jesus' whole understanding of himself would have been quite different from that of any other human person. Once again, this would not have been just a speculative or theoretical matter. Reflection on the brute physical facts of his own conception would have assured him, if such assurance was ever needed, that he was indeed in a unique relation to the creator of all things. What a difference that would make to his understanding of his mission; and how strange it would then be to assert that he could not have thought of himself as the son of God.

One further thing that the virgin birth has to teach is that the actions of God in the world really do make a difference. God is not an inert, passive or impersonal force. He can and will act to accomplish his purposes in history. As we have noted, God does not seem to act to take away the consequences of human evil – even when that includes the suffering of the innocent. Nevertheless, it is his will that the Kingdom of God should come into being, that community of love which is the purpose of creation. Naturally, we want to know if God really has such a purpose, and whether he can ensure that it eventually comes about. The physical fact of the virgin birth, when taken as part of the story of Jesus, is just such an assurance that God can really change the character of his creation, when he is met by the response of trusting faith, so as to bring about his purposes. And that really is the basic importance of the virgin birth. It is not just an extremely odd happening long ago and far away. It is an affirmation of God's real, transforming, particular and effective action to bring his purposes to pass.

A Summing Up

What, then, is the evidence for the virgin birth? It lies in the testimony of Matthew and Luke. The stories of Jesus' birth take up more space, in both Gospels, than the stories of his resurrection. Luke prefaces his whole account by stressing that he had tried to collect eye-witness accounts of the matters he relates. There is in fact more material about Jesus' birth than there is about many of the incidents in his life; so the amount of evidence is quite substantial. Clearly, its reliability depends entirely on whether the account was really received from Mary

13

and Joseph. No one else could have been in a position to know the facts. It seems unlikely that the Gospel writers were lying in claiming to have received such accounts – if they were, the whole Gospels come into disrepute. And it seems unlikely that they were deceived, since members of Jesus' immediate family were still around in the early Church to correct such very strange stories, if they were false or even hitherto unknown. It therefore seems probable that these are genuine accounts, received from the mother of Jesus or her husband, of an event so strange and unexpected that its meaning needed to be worked out over generations of meditation and prayer.

To those who say that the virgin birth could not have happened, or that it is overwhelmingly improbable, on general philosophical grounds, the brusque answer is that even philosophy has to conform to the facts, however unexpected. And if one believes in a personal, active God, miracles are not wholly improbable in any case. Of course, they are improbable in relation to what normally happens, by definition. It is no objection to the virgin birth that it is unique – it is meant to be unique; that is the whole point. But if there is a personal God, it would be very odd indeed if miracles never happened; if he never acted in particular and astonishing ways to reveal and accomplish his purpose. It would also be very odd if the resurrection was the only miracle; as if it was a totally extraordinary ending to a fairly normal life. So, while we could never predict the virgin birth, or say that God must have caused it if he was going to become incarnate, we should not really be wholly surprised when Scripture asserts it to have happened. At first sight it seems extraordinary – but perhaps that just shows how far we have moved from really believing in the active God of history, of Abraham and Isaac and Jacob. On reflection, it seems a deeply intelligible, spiritually illuminating and entirely appropriate expression of the self-revealing action of God, that Jesus of Nazareth was marked out as unique from the first moment of his earthly existence by being conceived of the Holy Spirit and born of the virgin Mary.

OX

01/20

AR

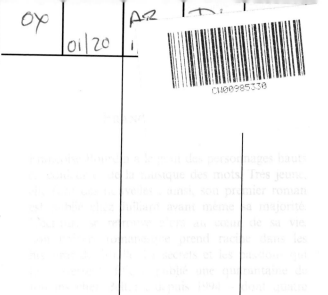

To renew this book, phone 0845 1202811 or visit
our website at www.libcat.oxfordshire.gov.uk
(for both options you will need your library PIN
number available from your library),
or contact any Oxfordshire library

OXFORDSHIRE
COUNTY COUNCIL

HORS SAISON
ET AUTRES NOUVELLES

DU MÊME AUTEUR
CHEZ POCKET

L'HOMME DE LEUR VIE
LA MAISON DES ARAVIS
LE SECRET DE CLARA
L'HÉRITAGE DE CLARA
UN MARIAGE D'AMOUR
UN ÉTÉ DE CANICULE
LES ANNÉES PASSION
LE CHOIX D'UNE FEMME LIBRE
RENDEZ-VOUS À KERLOC'H
OBJET DE TOUTES LES CONVOITISES
UNE PASSION FAUVE
BERILL OU LA PASSION EN HÉRITAGE
L'INCONNUE DE PEYROLLES
UN CADEAU INESPÉRÉ
LES BOIS DE BATTANDIÈRE
LES VENDANGES DE JUILLET *suivies de* JUILLET EN HIVER
UNE NOUVELLE VIE
NOM DE JEUNE FILLE
SANS REGRETS
MANO A MANO
D'ESPOIR ET DE PROMESSE
LES SIRÈNES DE SAINT-MALO
LE TESTAMENT D'ARIANE
DANS LES PAS D'ARIANE
SERMENT D'AUTOMNE
DANS LE SILENCE DE L'AUBE
COMME UN FRÈRE
BM BLUES
UN SOUPÇON D'INTERDIT
LA PROMESSE DE L'OCÉAN
L'HÉRITIER DES BEAULIEU
D'EAU ET DE FEU
À FEU ET À SANG
LA CAMARGUAISE
AU NOM DU PÈRE
FACE À LA MER
LE CHOIX DES AUTRES
HORS SAISON

Françoise Bourdin
présente
GALOP D'ESSAI

FRANÇOISE BOURDIN

HORS SAISON
ET
AUTRES NOUVELLES

belfond

FSC
www.fsc.org

MIXTE
Papier issu de
sources responsables
FSC® C003309

Pocket, une marque d'Univers Poche,
est un éditeur qui s'engage pour la préservation
de l'environnement et qui utilise du papier fabriqué
à partir de bois provenant de forêts gérées
de manière responsable.

place
des
éditeurs

© Belfond, un département place des éditeurs, 2018
ISBN : 978-2-266-29128-6
Dépôt légal : mars 2019

À QUI LE TOUR ?

> *Il y aura toujours un chien perdu*
> *quelque part qui m'empêchera d'être*
> *heureuse.*

Jean ANOUILH, *La Sauvage*, acte 3

Antonin empoigna le lourd sac de croquettes et déversa les rations dans les gamelles. Impatients, les cinq chiens le regardaient faire en se bousculant les uns les autres.

— Ma parole, on dirait qu'ils ont faim !

Une formule rituelle, qu'Antonin prononçait toujours sur le même ton enthousiaste. Il fit la distribution puis s'assit sur le bord du vieil évier de grès pour regarder manger ses pensionnaires : le couple inséparable de griffons, le Jack Russel cabossé, le bâtard indomptable au museau de loup et la trop jolie chienne. Chacun avait son histoire, sans doute une histoire triste, mais on ne pouvait que le deviner puisque seuls leurs yeux parlaient.

— C'est le repas des fauves ? lança Jean-Marie en entrant.

Il jeta un coup d'œil machinal autour de lui. Les couvertures des chiens s'alignaient sur le sol, deux grandes écuelles étaient pleines d'eau claire. Antonin gardait l'endroit aussi propre que possible, il n'y avait rien à redire. Cinq chiens à la maison, un âne dans le pré, la grange transformée en abri pour les chattes de passage qui voulaient mettre bas et, à présent, une petite chèvre noire… jusqu'où Antonin irait-il ? Bien sûr, mieux valait qu'il soit occupé, et après tout, sa ménagerie lui donnait du travail.

Jean-Marie le regarda ramasser les gamelles vides, les rincer, les empiler. Antonin était un bon garçon, amoureux de la nature et des animaux, un peu benêt mais pas stupide. Dans la famille, on avait longtemps utilisé le mot « simple » pour le désigner, alors que les gens du coin disaient plutôt « le ravi ».

Du coup, Jean-Marie avait abandonné tout surnom ou diminutif, même affectueux. En ce qui le concernait, son neveu s'appelait Antonin, rien d'autre. Et Antonin vivait avec lui depuis cinq ans sans lui causer le moindre problème. Ses bêtes, il les nourrissait grâce à quelques petits boulots effectués à droite et à gauche. Il savait réparer une clôture ou colmater une gouttière, refendre des bûches, plâtrer un mur. Jean-Marie ne pouvait donc pas le considérer comme à sa charge. Néanmoins, il l'était. Une charge d'amour et de responsabilité en tout cas. Incapable de remplir un papier correctement, Antonin était fâché avec l'administration, avec les dates et les chiffres, fâché avec toute forme de contrainte, et sans Jean-Marie il se serait vite retrouvé hors-la-loi ou sans abri. À la mort de sa sœur, Jean-Marie ne s'était pas posé de questions, devant l'évidence de son devoir il avait accueilli Antonin. D'ailleurs, il ne s'en plaignait pas. Veuf et retraité des postes, il appréciait la compagnie de ce garçon qui, lorsqu'on savait le prendre, riait ou s'émouvait comme un gosse malgré ses trente-quatre ans.

— À notre tour de dîner, décida-t-il en faisant signe à Antonin de le suivre.

La pièce réservée aux chiens était une ancienne buanderie, tout au bout de la petite maison de pierre. Mais la porte de communication avec les autres pièces était rarement fermée et, s'ils avaient froid, l'hiver, les chiens venaient se coucher non loin de la cheminée où Antonin entretenait des feux d'enfer. Se sachant tolérés, ils se faisaient oublier.

Cette maison, Jean-Marie la tenait de ses parents, il y était né et il l'aimait. À l'époque de son mariage, il l'avait bichonnée pour qu'elle offre un certain confort et, ma foi, on s'y sentait bien. Lorsque Antonin était arrivé chez lui, il avait dit à tout le monde : « C'est mon neveu, je l'héberge. » Une manière de prévenir les gens que les questions insidieuses ou les commentaires ironiques seraient malvenus.

Il se mit aux fourneaux, ce qu'il faisait déjà du temps de sa femme car il possédait un petit talent de cuisinier. Par égard pour Antonin, il ne préparait plus de civet de lièvre ou ce genre de plat incluant de manière trop flagrante un quelconque animal des bois. Si son neveu n'était pas à proprement parler végétarien, il répugnait à manger une bestiole croisée la veille sur un chemin des environs. Ce soir-là, le menu se composait de deux truites et de pommes de terre sautées à l'ail. Tandis que Jean-Marie cuisait ses poissons, Antonin mit le couvert après avoir passé un coup de torchon sur la toile cirée. Dehors, le vent soufflait fort, comme presque chaque nuit de ce printemps frileux et pluvieux.

— La chèvre ne quitte plus l'âne, ça fait une vraie paire de copains ! annonça Antonin sur un ton réjoui. Mais c'est drôle que personne ne l'ait réclamée…

— Pas plus que la chienne, répondit Jean-Marie en devançant la question qui allait immanquablement suivre.

Antonin lui avait fait écrire une petite annonce qui avait rejoint les précédentes, bien en vue sur la caisse de la boulangerie. « Trouvé chienne blanche très douce, non tatouée. » Et, sans ce fichu tatouage, impossible d'identifier le propriétaire, c'est ce que leur avait répondu une fois de plus au téléphone le responsable de la SPA. Mais peut-être la chienne était-elle équipée d'une puce électronique, et dans ce cas il fallait l'amener pour le savoir. Antonin s'y refusait car, une fois là-bas, qu'adviendrait-il de la pauvre bête ? La mettrait-on aussitôt en attente dans une cage dont elle ne sortirait plus ? Antonin avait le chic pour tomber sur des animaux errants que nul ne réclamait jamais. Si celle-ci ne faisait pas exception à la règle, elle serait condamnée.

— À quelle heure, le loto ? s'enquit Antonin en attaquant sa truite.

Il suivait les résultats du tirage avec une extraordinaire bonne volonté, persuadé que son oncle finirait par avoir son jour de chance. Ou alors c'était pour le plaisir du petit verre d'alcool servi ensuite pour se consoler d'avoir encore perdu.

— Loto, à qui le tour ? dit Jean-Marie en imitant la publicité.

Cette voix féminine qui susurrait : « À qui le tour ? » semblait promettre toutes les félicités. Jean-Marie y croyait sans y croire, néanmoins il remplissait sa grille chaque semaine. Si on songeait à la loi des probabilités, s'arrêter maintenant serait idiot.

Antonin se leva pour aller remettre une bûche dans la cheminée. La gerbe d'étincelles qu'il provoqua fit sursauter la chienne blanche qui était timidement venue se coucher devant l'âtre.

— Elle a froid, la pauvre…

Fine, élégante, la jolie chienne avait un poil ras et brillant qui ne protégeait guère.

— Ça devait être une bête d'appartement, estima Jean-Marie.

Mais, dans ce coin du Lot, il n'y avait que des maisons de pierre, une zone pavillonnaire à l'entrée du village et, beaucoup plus loin, quelques belles propriétés là où commençaient les vignes d'appellation Cahors.

Antonin tendit la main vers la chienne pour caresser sa tête soyeuse.

— Son regard, dit-il, c'est terrible.

Les yeux dorés, rivés sur lui, exprimaient une certaine appréhension et, surtout, un immense désespoir.

— Le tirage ! avertit Jean-Marie qui venait d'allumer la télé.

Tous les samedis, le même cérémonial captivait l'oncle et le neveu, qui regardaient tourner les boules dans les sphères, fascinés. Pourtant, ce soir-là, Antonin n'y prêta pas l'attention habituelle, préoccupé par la chienne blanche qui lui faisait de la peine. Pour tous les autres animaux qu'il avait recueillis, il s'était senti dans la peau d'un bienfaiteur en leur offrant à boire, à manger et un toit. Il avait soigné leurs blessures, conquis leur affection, même celle du bâtard indomptable au museau de loup. Celui-là avait dû être souvent battu car il avait mis des semaines à se laisser approcher. Mais la chienne blanche était différente. Elle ne craignait pas l'homme, ne semblait pas malade, pourtant son attitude avait quelque chose de bizarre.

— Qu'est-ce que tu attends, ma pauvre ? marmonna Antonin.

Voilà, c'était ça, cette bête n'était qu'attente et chagrin.

— Encore perdu ! annonça Jean-Marie. Eh bien, ça mérite un petit verre…

Il froissa son ticket et alla le jeter dans le feu, comme tous les samedis.

— Loto, à qui le tour ? dit-il en fixant les flammes.

Jamais il ne s'était demandé de manière précise ce qu'il ferait s'il gagnait. Un voyage ? Non, il n'avait pas le goût de l'exotisme. S'offrir un beau vélo ? Il avait passé l'âge de fanfaronner, et les routes du causse étaient trop raides. Peut-être une nouvelle voiture pour remplacer sa Peugeot hors d'âge ? Ses ambitions étaient modestes mais, à vrai dire, il ne manquait de rien. Quant à assurer l'avenir d'Antonin, tout l'argent du monde ne pouvait rien pour son neveu. En fait, ce que Jean-Marie désirait le plus était de vivre longtemps afin de continuer à veiller sur ce grand garçon trop simple que le destin lui avait confié. Hélas, l'espérance de vie ne s'achetait pas non plus.

Il ouvrit le buffet et prit la bouteille de liqueur de framboise. À peine l'eut-il posée sur la table qu'un concert d'aboiements éclata dans la pièce aux chiens. En même temps, Jean-Marie perçut un bruit de moteur, puis des pneus crissèrent sur les cailloux, devant la maison.

— Bon sang ! Qu'est-ce que ça peut bien être ?

Neuf heures du soir, ce n'était pas le moment des visites. D'ailleurs, Jean-Marie en recevait fort peu. Il se dirigea vers la fenêtre et appuya son front au carreau, les mains en œillères. Il discerna vaguement la masse d'une grosse voiture sombre, dont un inconnu venait de descendre.

— Enferme les chiens et fais-les taire, dit-il à Antonin tandis qu'on frappait à la porte.

Lorsqu'il ouvrit, une bourrasque s'engouffra dans la maison, faisant ronfler la cheminée. L'homme qui se tenait sur le seuil était grand, vêtu d'un beau pardessus et d'une longue écharpe.

— Désolé de vous déranger, je sais qu'il est tard mais…

Avec un geste d'excuse, l'inconnu jeta un coup d'œil anxieux derrière l'épaule de Jean-Marie. Voyant la salle de séjour vide, il sembla désemparé.

— C'est un voisin qui m'a donné votre adresse, ajouta-t-il. À la boulangerie, cette annonce…

Il n'eut pas le temps d'en dire davantage. Jaillie des mains d'Antonin qui n'avait pas pu la retenir dans l'autre pièce, la chienne blanche vint se jeter contre les jambes de l'inconnu.

— Oh, ma princesse ! souffla-t-il d'une voix rauque d'émotion.

Se renversant sur le dos, la chienne se mit à gémir, éperdue.

— Princesse, c'est son nom ? demanda Antonin.

L'homme tourna la tête vers lui et le considéra d'un air ébahi. Avec sa tignasse hirsute, ses petits yeux ronds, sa stature de bûcheron et son sourire d'enfant, Antonin surprenait toujours au premier abord.

— Elle s'appelle Lola.

Comme pour saluer Lola, dehors l'âne se mit à braire par-dessus le bruit du vent. Ce cri particulier, qui tenait du fou rire hystérique et de l'appel au secours, acheva de déconcerter le visiteur. Il se pencha vers sa chienne, posa la main sur elle.

— J'y suis tellement attaché…, soupira-t-il.

Il n'aurait pas eu besoin de le dire, les deux autres le voyaient bien.

— Vous tenez une sorte de refuge, alors ? demanda-t-il en se redressant.

Son regard se posa sur le Jack Russel cabossé, sur le bâtard au museau de loup, puis sur le couple de griffons qui avaient suivi Antonin.

— C'est mon neveu qui s'en occupe, expliqua Jean-Marie. Il aime les bêtes.

— Moi aussi ! s'exclama l'inconnu dans un élan. Vous n'imaginez pas la reconnaissance que j'éprouve. Je croyais Lola perdue, mourant de froid, de faim, peut-être écrasée, et je n'en dormais plus !

Il s'interrompit de façon abrupte, gêné de s'être laissé aller.

— C'est bien que vous soyez venu, dit Antonin. La chienne ne se plaisait pas trop ici. Elle vous attendait.

De nouveau, le visiteur le dévisagea, puis il se mit à sourire, et cette expression fit de lui un homme différent. Il ouvrit son pardessus, sortit un chéquier de sa poche intérieure. Sans un mot, il s'approcha du buffet où il s'appuya pour écrire.

— Nous ne demandons pas de récompense, protesta Jean-Marie.

— Je sais bien. Mais j'aurais donné n'importe quoi pour la retrouver, vous comprenez ?

Jean-Marie le rejoignit, regarda la somme, ouvrit la bouche, mais l'autre le devança.

— C'est pour le refuge. Pour tous les animaux que vous trouverez, que vous aiderez.

Il rangea son chéquier et, d'une autre poche, sortit une superbe laisse de cuir rouge.

— Je l'avais prise à tout hasard…

La chienne, qui ne quittait pas sa jambe, se laissa attacher avec la même fierté qu'une femme à qui on aurait posé un diadème sur la tête.

— Merci, murmura encore l'inconnu, merci du fond du cœur.

Sans attendre qu'on le raccompagne, il gagna la porte et disparut. Jean-Marie écouta le bruit du moteur qui démarrait, celui du vent qui cernait toujours la maison.

— Il a donné de l'argent ? voulut savoir Antonin.

— Oui… Pour toi. Enfin, pour tes bêtes.

— Combien ?

— Beaucoup.

Énoncer le montant ne ferait qu'embrouiller les idées d'Antonin.

— Je suis content parce qu'elle me faisait de la peine, cette Lola. Elle ne se mêlait pas aux autres et elle ne mangeait rien.

Se tournant vers les chiens, Antonin ajouta :

— Je vais pouvoir vous gâter !

Jean-Marie prit le chèque, le relut plusieurs fois pour être certain de ne pas se tromper, mais les chiffres étaient bien là, tracés d'une main ferme.

Antonin le rejoignit, jeta un coup d'œil au papier.

— Ah oui, c'est beaucoup, dit-il simplement.

Peut-être comprenait-il plus de choses que Jean-Marie ne se le figurait, après tout.

— Demain, je consoliderai l'abri de l'âne. Si ce vent insiste, le toit finira par s'envoler. Dis donc, tonton… Faut pas que ça nous empêche de boire notre petit verre, hein ?

Il se balançait d'un pied sur l'autre, signe de grand contentement chez lui. Jean-Marie le contempla un instant puis hocha la tête. Tandis qu'il retournait vers la table pour servir l'alcool de framboise, Antonin alla ajouter une dernière bûche dans le feu. Couchés en rang d'oignons devant la cheminée, les chiens s'étaient endormis.

— Allez, on trinque !

L'un à côté de l'autre, les yeux sur les flammes, l'oncle et le neveu savourèrent la première gorgée en silence. Au bout d'un moment, perdu dans sa rêverie, Jean-Marie murmura :

— Loto, à qui le tour ?

Et lui aussi, sans s'en apercevoir, eut alors un sourire de gosse qui le fit étrangement ressembler à son neveu.

ARAIGNÉE DU SOIR

Agnès regarda autour d'elle avec effarement. C'était
« ça », le paradis promis ? Dans ses souvenirs, lors
d'une unique visite menée tambour battant, les choses
étaient plus pimpantes, plus colorées, et bien plus cha-
leureuses.

Plantée au milieu du vestibule, ses valises empilées
à ses pieds, elle écouta le moteur du taxi qui s'éloignait dans la nuit. Le chauffeur lui avait demandé une
somme exorbitante pour la conduire ici, il avait dû la
prendre pour une Parisienne. Ce qu'elle était, après
tout, du moins jusqu'à ce matin.

Un silence oppressant l'entourait à présent et elle fut
secouée d'un long frisson. Clémentine aurait dû être
là pour l'accueillir, venir l'attendre à la gare et passer
la première soirée avec elle, mais une urgence l'en
avait empêchée, comme l'expliquait le texto reçu dans
le train : « Un bébé arrive plus tôt que prévu, et il se
présente mal ! Essaye de te débrouiller seule, la clef
est sous le pot du rhododendron. Je viendrai demain,
courage et bisous. »

Un rhododendron ? Agnès ne savait même pas à quoi ça ressemblait ! Il avait fallu que le chauffeur, d'un air apitoyé, le lui désigne dans la lueur de ses phares. Elle s'obligea à bouger, enjamba les valises et pénétra dans la cuisine qui se trouvait sur sa gauche. Le précédent propriétaire avait généreusement laissé quelques ampoules dans les douilles pendant des plafonds, de ces ampoules qui donnent un éclairage chiche et sinistre. Sous une telle lumière, les quelques meubles rachetés avec la maison semblaient rescapés d'un cambriolage.

Dans l'antique réfrigérateur, elle trouva la bouteille de champagne apportée par Clémentine, un carton de lait, du beurre, des œufs, un camembert. Sur le plan de travail, il y avait aussi un paquet de biscottes et un pot de Nescafé. Clém avait dû faire un détour pour déposer les provisions avant l'accouchement de sa patiente. Son métier de sage-femme lui conférait un grand sens de l'organisation, elle devançait toujours les imprévus. Agnès hésita un peu puis décida d'ouvrir la bouteille. Ne pas fêter son arrivée lui semblait trop triste, presque désespérant. N'allait-elle pas commencer une nouvelle vie ?

Ah, l'avait-elle assez désiré, ce changement radical, ce virage en épingle à cheveux ! Avec Clém, au téléphone ou sur Skype, elles en avaient parlé pendant des heures, bâtissant le projet, planifiant les détails. Et puis Agnès était venue, plusieurs week-ends de suite, pour visiter des maisons. Elles faisaient les folles toutes les deux sur les petites routes de la vallée de la Seine, s'arrêtaient dans de délicieuses auberges de campagne où elles dévoraient une cuisine roborative en piquant des fous rires. Agnès sortait à peine d'un mariage raté, d'un divorce houleux. Elle voulait oublier Lucas, tirer un trait définitif et repartir ailleurs du bon pied. Ailleurs, alors pourquoi pas dans la région où Clémentine s'était installée six ans plus tôt afin d'exercer son métier de sage-femme en toute liberté ? Souvent, Agnès était venue lui rendre visite pour s'épancher sur son épaule compatissante. Elle avait ressassé ses griefs contre Lucas jusqu'à la nausée. Six mois après des noces de conte de fées, il avait commencé à la tromper. Il rentrait tard, buvait trop, collectionnait les conquêtes et mentait sans vergogne. Aussi égoïste qu'immature, il dépensait des sommes folles dans des voitures de luxe et des soirées de prince. Un héritage prématuré avait fait de lui un enfant gâté qui n'aimait rien tant que lui-même et pour qui le mot « famille » ne signifiait rien. Agnès avait tenu trois ans, puis elle s'était résignée à le quitter. Et, bien sûr, il ne l'avait pas supporté, blessé dans son orgueil mais incapable de se remettre en question. Durant la longue procédure de divorce, Agnès avait repris son travail de traductrice et loué un studio en banlieue. L'immeuble était laid et sonore, le RER en grève ou bondé, les rues sales et bruyantes. Elle s'était crue très malheureuse jusqu'à ce que Clémentine lui fasse remarquer qu'elle exerçait un métier nomade et pouvait traduire sous n'importe quels cieux. En s'aidant de la somme versée par Lucas – qui avait cru bon d'insulter le juge et en conséquence avait été déclaré comme ayant tous les torts – pourquoi ne s'achetait-elle pas une maison ? Loin de Paris, l'immobilier était bien plus abordable, et à son âge elle obtiendrait facilement un crédit. Mieux encore, pourquoi ne pas envisager des chambres d'hôtes pour

21

arrondir ses fins de mois ? Agnès était habile de ses mains, elle avait le sens de la décoration et le goût du bricolage, elle trouverait forcément du plaisir à retaper une vieille ferme.

L'idée avait fait son chemin. Une envie de nature et de retour aux sources s'en était mêlée. Agnès s'était vue renaître, sauvée. Adieu la foule et le bitume, les prix fous, l'atmosphère polluée. L'expression « une autre qualité de vie », par ailleurs mise à toutes les sauces, prenait à la campagne sa véritable signification. Finalement, elles avaient trouvé la maison et Agnès avait signé. Dans l'effervescence des préparatifs du départ, elle n'avait pas voulu songer aux inconvénients et s'était focalisée sur les avantages.

Morose, elle se mit en quête d'une poêle, mais celle qu'elle dénicha au fond d'un placard poussiéreux était vraiment trop cabossée et trop grasse. Pas d'omelette, tant pis, elle se contenterait de biscottes beurrées et de camembert. Elle alla jeter un coup d'œil par la fenêtre mais il n'y avait rien à voir, pas plus qu'au fond d'un encrier. Elle se souvint que l'éclairage public des villages s'éteignait tôt. En plus elle se trouvait à la sortie de ce qui n'était finalement qu'un hameau. De nouveau, elle frissonna, pourtant elle n'avait pas quitté son manteau. Elle alla toucher le radiateur qui était brûlant. Clém avait pensé à brancher le chauffage, mais que faire contre les courants d'air que laissaient passer les vieilles huisseries, et surtout contre le froid intérieur qui s'était emparé d'Agnès ? Devant l'immensité de la tâche qui l'attendait, elle murmura :

— C'est ce qui s'appelle avoir les yeux plus gros que le ventre…

Sa voix lui parut faible et assourdie.

— Que le ventre ! répéta-t-elle plus fermement.

En combien de temps pourrait-elle arranger cette maison afin de la rendre accueillante ? Et avant de songer à de futurs hôtes payants, comment allait-elle supporter de passer seule ici un premier hiver ? Plus de cinéma ni de théâtre, plus de petites boutiques où trouver un vêtement à la mode, plus de flâneries dans les musées ou les librairies, plus de rendez-vous dans les cafés, plus de ce sirop de la rue auquel elle était habituée depuis toujours. Elle était citadine dans l'âme, contrairement à Clémentine qui venait d'un milieu rural et n'avait fait qu'y retourner. Grands dieux, elle s'était trompée de vie !

L'anxiété qui la prenait à la gorge lui fit ouvrir la bouteille, elle versa le champagne dans un verre à orangeade et but à longs traits, jusqu'à ce que les bulles lui remontent dans le nez. Un morceau de fromage, un autre verre : plus vite elle serait ivre, plus vite cette abominable soirée s'achèverait.

Le camembert était fait à cœur, délicieux, aussi le mangea-t-elle en entier. Puis elle vida le reste de la bouteille et décida de monter se coucher. Demain, elle aviserait. Certes, elle avait acheté la maison, mais elle pouvait toujours la revendre et ne pas s'obstiner stupidement dans l'erreur.

Au moment où elle se levait, titubant légèrement, elle aperçut une énorme araignée sur le mur. Noire, velue, hideuse. Le cœur battant à grands coups désordonnés, elle se demanda si elle allait avoir le courage de la tuer. L'écraser avec sa chaussure ? Mais si elle la ratait ? Pas question de cohabiter avec elle, au risque de la retrouver en train de se promener sur son oreiller ! Elle se souvint, horrifiée, que les araignées ne sont pas des insectes, qu'elles ne piquent pas mais mordent leurs proies avec leurs crochets pour injecter leur venin. Sans la quitter des yeux, elle enleva lentement un de ses mocassins qu'elle brandit. Comme si elle devinait son intention, l'araignée se carapata le long du mur puis au sol, et Agnès la manqua de peu lorsqu'elle se glissa sous la porte. Reviendrait-elle ? Était-elle ici chez elle ? Ces sales bêtes vivaient des années !

Agnès resta longtemps immobile, sa chaussure à la main, jusqu'à se sentir d'abord fatiguée, ensuite tout à fait ridicule. Elle devait trouver la force de monter l'escalier et d'aller se coucher. En enjambant les valises, dans le vestibule, elle se fit le serment de ne passer qu'une seule nuit ici.

Une seule, mais quelle nuit ! Lorsque Agnès ouvrit les yeux, elle constata que le jour était levé, ce qui, en février, signifiait un réveil tardif. Elle regarda sa montre, toujours à son poignet, et vit qu'il était huit heures et demie. Incroyable ! Elle avait dormi dix heures d'affilée, un record absolu pour elle, que le seul champagne n'expliquait pas. Bien au chaud sous sa couette, un rayon du soleil d'hiver jouant sur son oreiller, elle resta un moment à contempler le paysage devant sa fenêtre. Deux grands conifères se découpaient sur le ciel, et beaucoup plus loin une colline boisée marquait la ligne d'horizon. « Vue imprenable », avait assuré l'agent immobilier, et ça semblait vrai.

Après quelques minutes de contemplation, elle repoussa la couette et posa les pieds sur le parquet de chêne patiné dont la douceur l'étonna. Sur les murs, ce qui lui avait paru être un papier peint quelconque, la veille, était en réalité un délicat motif rose et gris qui conférait une certaine féminité au décor de la chambre. Elle s'approcha de la fenêtre qu'elle entrouvrit pour aérer, et une bouffée d'air froid entra avec des chants d'oiseaux.

Dans la salle de bains, dont elle ne se souvenait que vaguement, la vieille baignoire à pattes de lion et le grand lavabo carré la firent sourire. On s'arrachait aux enchères ce genre de sanitaires qui n'étaient plus appelés vétustes mais *vintage*. Elle ouvrit les robinets et eut droit à un ou deux coups de bélier dans la tuyauterie, néanmoins l'eau chaude arriva tout de suite. Cette pièce aussi était traversée par les rayons du soleil levant qui jouaient sur les miroirs biseautés et embrasaient le sol de tommettes.

Une fois habillée chaudement, Agnès descendit à la cuisine. Elle chercha du regard l'araignée de la veille, qui n'était nulle part en vue, puis décida de sortir pour profiter du temps radieux. Dehors, tout était paisible. En remontant la rue, elle ne croisa qu'un tracteur dont le chauffeur lui adressa un signe de la main. On se saluait sans se connaître, ici ?

Parvenue à la boulangerie, qui se trouvait au centre du hameau, elle s'aperçut qu'elle mourait de faim. Elle entra dans la minuscule boutique où flottait une délicieuse odeur de pain chaud. Derrière la vitre du présentoir, des pains au chocolat ventrus et des croissants dorés à point la firent saliver. À coup sûr ceux-là n'avaient jamais été congelés, ils sortaient du four.

— Bonjour ! lança une voix joyeuse. Ne seriez-vous pas la dame qui vient de s'installer ?

La femme accorte et souriante qui la dévisageait avec curiosité paraissait très chaleureuse. Agnès hocha la tête en silence, et l'autre poursuivit :

— Bienvenue ! On vous attendait impatiemment parce que Clémentine nous a raconté vos projets. Des chambres d'hôtes au village, c'est une idée formidable. Figurez-vous qu'on m'en demande tout le temps. La région est touristique, il y a beaucoup de choses à voir dans les environs et les Anglais adorent se balader par ici. Vous allez faire un tabac, d'ailleurs votre maison a toujours porté bonheur à ses propriétaires. En attendant, c'est ma tournée…

Elle prit un croissant qu'elle lui tendit d'un geste spontané.

— Si vous avez besoin de quoi que ce soit, demandez ! Tout le monde a des outils à vous prêter, et on donnera un coup de main si besoin est.

Touchée, Agnès lui adressa un sourire reconnaissant, mais dans sa tête des idées contradictoires se heurtaient. À cet instant, la porte s'ouvrit avec un tintement de clochette et Clémentine s'engouffra dans la boulangerie.

— Ah, tu es là ! Tu as bien dormi ? Quelle nuit ! Le bébé est né à trois heures du matin, après un très long travail de la maman. Un gros garçon de quatre kilos et demi qui se présentait par l'épaule ! Bref, te voilà parmi nous… Vous avez fait connaissance ? Marianne vend les meilleurs croissants de toute la Normandie, je vois que tu te régales. Bon, il faut que nous allions au café, que je te présente à tes concitoyens. À cette heure-ci, madame la maire boit son petit crème au comptoir avec les habitués. Au revoir, Marianne !

Prenant Agnès par l'épaule, Clémentine l'entraîna dehors.

— Tu as vu ce beau temps ? On va pouvoir t'installer correctement, je t'ai réservé ma journée.

Son enthousiasme était contagieux. Et depuis son réveil, Agnès se sentait de mieux en mieux. Elle se prenait à croire qu'un jour, peut-être, elle serait aussi gaie et sereine que Clém ou que la boulangère. La rue était inondée de soleil, un peu de givre scintillait au bord des toits et sur les branches des arbres qui ornaient les jardins. Agnès songea à ceux qui, au même moment, étaient en train de s'entasser comme des sardines dans le RER pour que les portes puissent se fermer.

— Hier soir, j'ai trouvé une horrible araignée, déclara-t-elle d'un ton amusé.

— Tu ne l'as pas tuée, j'espère ? Araignée du soir, espoir…

— Et du matin, chagrin, je sais, mais je ne l'ai pas revue.

— C'est bon signe !

Clém, qui la connaissait par cœur, s'arrêta une seconde et lui fit face.

— Alors tu restes ?

Agnès ouvrait la bouche pour lui faire part de ses doutes, quand elle s'entendit répondre avec assurance :

— Évidemment ! Je viens d'acheter la maison, je ne vais tout de même pas la revendre, hein ?

Elle éclata d'un rire insouciant qui la libéra d'un coup. Une bouffée d'énergie la submergea, elle se sentit soudain prête à abattre des montagnes. La nouvelle vie qui l'attendait la réjouissait, la galvanisait. Grands dieux, quelle chance, elle avait fait le bon choix !

CENT BALLES

« T'as pas cent balles ? » était la demande la plus fréquente de Florian. Il la formulait de diverses manières, mais ça revenait à emprunter un argent qu'il avait la flemme d'aller gagner. Cependant, quémander ne lui plaisait guère, alors, par pudeur et par gêne, il prenait un air mystérieux ou vaguement ennuyé, parfois hautain voire cassant.

Son frère Charles s'agaçait de ces sollicitations, impossibles à refuser. Comme toujours en famille, il existait trop de non-dits, de souvenirs et de contentieux. Pire encore, une culpabilité latente – bien que sans objet – forçait Charles à accepter, quelle que soit sa réprobation. Dans une fratrie, la solidarité n'était-elle pas de rigueur ? Et puis Charles devait bien admettre qu'il avait tout pour lui, un superbe fils de vingt ans, un bel appartement, un métier lucratif grâce à la maison d'édition qu'il avait fondée et qui accumulait les succès. De son côté, Florian semblait avoir systématiquement raté ce qu'il s'était forcé à entreprendre, multipliant les expériences malheureuses. Il s'était marié tardivement et sa femme l'avait quitté au bout de quelques mois en le traitant de fainéant. Il n'avait donc pas eu d'enfants, ne s'était jamais accroché à un travail. Était-ce par malchance ou par paresse ? Florian était indolent de nature et peu enclin à l'effort. Son habitude de se reposer sur les autres membres de la famille avait quelque chose d'exaspérant. Face à lui, Charles était toujours partagé entre compassion et fureur. Il vivait la disparité de leurs situations respectives des deux côtés du miroir. Certes, il se sentait injuste, mais estimait aussi très injuste d'être si souvent mis à contribution ; il se reprochait de juger, sans pouvoir s'empêcher de trouver scandaleuse l'attitude de Florian qui consistait à se laisser porter par l'existence. Car, à vrai dire, Charles se donnait du mal, un mal de chien. Les fées ne s'étant pas spécialement penchées sur son berceau, il avait dû lutter pour réussir sa vie. En se lançant dans l'édition, il s'était endetté, avait pris des risques. Aujourd'hui encore, malgré sa réussite, il lui arrivait de travailler sur des manuscrits ou sur sa comptabilité jusqu'au milieu de la nuit. Toutefois, dans un louable effort d'honnêteté, il reconnaissait que le sort lui avait été favorable en le dotant de courage et de volonté. Dès qu'il pensait cela, il se morigénait aussitôt : se croire paré de toutes les vertus ne rendait pas intelligent.

Florian s'épargnait apparemment ce genre de questions. Ou alors dans les tréfonds de sa tête et sans rien laisser paraître. Renfermé, complexé, passif et malheureux de l'être, il donnait le change de son mieux. Néanmoins, aux yeux de Charles, ses failles étaient visibles, trop mal dissimulées pour échapper à la perspicacité et à l'affection d'un frère. Car ils s'aimaient tous deux, se voyaient souvent, et se savaient liés à jamais par leurs souvenirs d'enfance. Après eux, qui se rappellerait cette galerie d'ancêtres, adorés ou détestés, et presque tous disparus à présent ? Ils avaient grandi au sein d'une famille d'artistes, totalement livrés à eux-mêmes par des parents grands voyageurs qui se produisaient un peu partout dans le monde. Contraints de créer leur propre univers, ils avaient partagé un trésor empoisonné : une folle liberté trop précoce et jamais plus retrouvée. Par la suite, Charles avait réussi à s'imposer des règles, mais Florian avait perdu tout repère.

Le fils de Charles, Julien, appréciait beaucoup Florian, cet oncle fantaisiste qui semblait toujours en rupture de ban. Il éprouvait pour lui de l'empathie et de la curiosité. Comparé à son père, dont le comportement quasi rigide prouvait la force de caractère, les faiblesses évidentes de son oncle le rendaient plus accessible, plus familier. Car Julien, pétri de doutes et sensible à tous les démons de son âge, n'avait aucune envie d'affronter son père sur certains sujets, en particulier celui de son avenir.

Régulièrement, Julien se rendait chez Florian, muni d'un pack de bières. Il grimpait les six étages du vieil immeuble dépourvu d'ascenseur et frappait à la porte du petit logement vétuste qu'occupait son oncle. Loué comme « charmant studio sous les toits », il s'agissait en réalité de deux minuscules chambres de service grossièrement réunies. Il y faisait froid l'hiver et chaud l'été, mais Florian prétendait s'y plaire malgré l'absence de confort. C'était son antre, meublé de bric et de broc, empestant la cigarette et les restes des pizzas dont il se nourrissait. Affalés sur le canapé aux ressorts défoncés, oncle et neveu passaient des heures à échanger des confidences, à refaire le monde dans un nuage de fumée et à entrechoquer leurs canettes, pris de fous rires. Le lieu et les instants partagés semblaient hors du temps, hors d'atteinte.

— Ne suis pas mon exemple, recommandait néanmoins Florian. Une vie de bohème n'est pas forcément agréable. Ça dépend des caractères…

Songeait-il à Charles, ce frère si différent qu'il admirait mais dont il n'aurait jamais pu supporter l'existence trop bien ordonnée ? En tout cas, hormis ce conseil un peu vague, il ne faisait pas la morale à son neveu, n'était pas donneur de leçons et savait écouter avant de poser les bonnes questions. Il parlait peu de lui, ou alors pour raconter des anecdotes abracadabrantes. Les avait-il réellement vécues ou les inventait-il ? Il prétendait avoir fait à moto le tour des grands lacs du Canada, compter parmi ses amis un marchand d'armes, être un grand joueur de poker. À l'entendre, il avait goûté à tant de choses sans s'attarder sur aucune ! Dubitatif, Julien opinait en souriant, pas dupe mais sous le charme.

Pendant ce temps, Charles se démenait. Il voyait se profiler l'horizon de la retraite et voulait bâtir ce qui pouvait encore l'être avant de lâcher prise. Laisser un patrimoine à son fils était l'un de ses buts, et il tenait aussi à se maintenir au meilleur niveau. Son entreprise restant prospère, il n'avait aucune envie de l'abandonner. D'ailleurs, partir en croisière ou cultiver des rosiers à la campagne ne le tentait pas. Il aimait l'action, qui l'empêchait de se sentir vieillir.

Ce soir-là, comme beaucoup d'autres, Charles avait invité Florian à dîner. Il le conviait soit chez lui, dans son grand appartement près du parc Monceau, soit dans un bon restaurant. Une façon comme une autre de veiller à ce que son frère se nourrisse convenablement, car il le soupçonnait – à juste titre – d'avaler n'importe quoi à n'importe quelle heure, d'un bout à l'autre de l'année.

Installés face à face dans une brasserie, ils se parlaient au-dessus de l'énorme plateau de fruits de mer que Charles avait commandé d'autorité.

— Comment va Julien ? s'enquit Florian, dont c'était toujours la première question.

— Bien, je suppose. Mais je ne peux pas t'en dire plus, on se voit en coup de vent. Tu sais comment sont les jeunes… Il fait la fiesta la nuit avec ses copains, et l'après-midi il est plus souvent au cinéma que sur les bancs de la fac.

— C'est de son âge.

— Sauf qu'il n'aura pas toujours vingt ans ! Je veux qu'il pense à son avenir.

— Il y pense sûrement, mais il n'est pas aussi pressé que toi.

— La vie est courte, Florian. Et c'est dur de se faire une place au soleil.

— Trop dur, peut-être ?

Charles leva les yeux au ciel, exaspéré comme toujours quand son frère prêchait l'oisiveté. Pour ce que ça lui avait réussi ! Sur le point de le lui faire remarquer, il se ravisa et se tut, là aussi comme toujours.

— Te crever à la tâche n'arrange pas ton caractère, ironisa Florian. Détends-toi un peu ou tu deviendras acariâtre.

33

« Et toi, à force d'être tout à fait détendu, tu finirais sous les ponts si je n'étais pas là ! » enragea Charles intérieurement. Il ne voulait pas agresser son frère en lançant des répliques acerbes, mais il avait de plus en plus de mal à s'en empêcher. Sachant que son fils appréciait la compagnie de Florian, il s'inquiétait de l'influence que celui-ci pouvait avoir avec ses théories contemplatives. S'émerveiller de l'envol des oisillons au printemps ne faisait pas avancer le monde.

Ils évoquèrent ensuite leur père, atteint de la maladie d'Alzheimer et végétant dans sa maison de retraite sans plus reconnaître personne.

— Lui aussi n'a pensé qu'à gagner de l'argent en acceptant des contrats pour n'importe quel spectacle, et au bout du compte…, soupira Florian.

Charles ne releva pas la réflexion qui le visait sans doute, s'abstenant de rappeler à Florian que, s'il ne gagnait pas d'argent, il dépensait néanmoins celui des autres. Puis, tout naturellement, ils abordèrent des sujets plus légers, revinrent à leurs souvenirs de jeunesse qu'ils habillaient du même humour noir, échangèrent des plaisanteries éculées qui les amusaient toujours et qu'ils n'auraient pu partager avec personne. Leur parfaite complicité était le ciment de leur affection mutuelle.

Un peu plus tard, en se quittant sur le trottoir, Florian lança :

— À plus !

Une formule rituelle pour dire qu'ils se reverraient sous peu. Pourtant, ce soir-là, Charles le retint par le coude.

— Que fais-tu de beau, en ce moment ?

Dans ce domaine précis, la discrétion de Florian était à la mesure de son indolence.

— Pas grand-chose… Comme d'hab quoi !

Le sourire résigné accompagnant ce constat émut Charles, qui demanda aussitôt :

— As-tu besoin d'argent ?

Il venait de s'apercevoir qu'au cours du dîner il n'avait pas subi la demande systématique des cent balles à prêter – donner, en fait – et une brusque inquiétude l'avait saisi.

— Pas de refus, marmonna Florian.

Soulagé d'être utile, mais agacé que rien ne change, Charles glissa quelques billets dans la main de son frère puis répéta à son tour :

— À plus, vieux !

Ils se retrouveraient le lendemain ou le jour d'après, finalement incapables de se passer l'un de l'autre, unis comme les deux faces d'une médaille.

Divorcé depuis longtemps, Charles vivait seul avec son fils, chacun à un bout du grand appartement. Soucieux de lui accorder l'intimité et l'indépendance dues à ses vingt ans, Charles s'aventurait rarement jusqu'à la chambre de Julien. Il était loin, le temps où il venait lui lire une histoire pour l'endormir ! Au fil des ans, les peluches avaient été remplacées par des figurines de footballeurs, ayant elles-mêmes disparu au profit d'affiches de rappeurs. La console de jeux avait cédé la place à un PC performant, et une mini-enceinte reliée à l'iPod rendait caduques les piles de CD. Comme tous les garçons de son âge, Julien ne rangeait jamais rien et des vêtements traînaient partout. Ce soir-là, Charles était venu frapper à sa porte, exceptionnellement, décidé à avoir une conversation sérieuse avec son fils qu'il soupçonnait d'avoir lâché ses études. N'obtenant pas de réponse il était entré, et à présent il contemplait le chaos en se demandant comment la femme de ménage parvenait à passer l'aspirateur. D'un geste machinal, il ramassa au hasard un sweat-shirt, un jean troué, des baskets, quelques bandes dessinées. Puis il observa avec curiosité le parquet constellé de petites taches brunes. Julien devait fumer du shit, bien sûr... Il lui arrivait de recevoir des copains, qu'il faisait passer par l'escalier de service pour qu'ils ne croisent pas son père. Était-il accro ou se limitait-il à un pétard de temps en temps ? Charles s'aperçut qu'il ne connaissait presque rien de la vie de son fils. Quand s'étaient-ils éloignés à ce point ? Et que savait-il des aspirations de Julien, de ses rêves ? Il avait pourtant la certitude d'avoir été un bon père, attentif et affectueux. Sauf qu'il était toujours accaparé par son travail, et finalement peu disponible.

Son téléphone vibra dans sa poche, ce qui interrompit sa réflexion. Il jeta un coup d'œil à l'écran et, voyant qu'il s'agissait de Florian, il accepta l'appel.

— Salut, vieux ! annonça son frère. Peux-tu venir chez moi maintenant ?

— Maintenant... Tout de suite ? *Chez toi ?* Grands dieux, pourquoi ?

— Viens, et tu sauras.

— Florian, il est dix heures du soir.

— Et alors ? Je te dis de venir. Fais vite.

La demande était si inhabituelle que Charles eut une brusque bouffée d'angoisse.

— Mais… Tu vas bien ?

— Oui. Viens, c'est tout.

Ce ton sans réplique que Florian n'utilisait jamais acheva d'inquiéter Charles. Il quitta son immeuble en hâte, héla le premier taxi en maraude et se fit conduire chez son frère, à l'autre bout de Paris. En arrivant, il le trouva debout sur le trottoir, à côté d'un autre taxi arrêté.

— Sois gentil de le payer, je n'ai pas d'argent, expliqua Florian.

La somme due était astronomique, mais le chauffeur se justifia en arguant qu'il avait beaucoup attendu, et qu'en plus il lui faudrait nettoyer sa banquette. Charles régla la course de mauvaise grâce avant de suivre son frère.

— Qu'est-ce que tu as encore trafiqué ? grogna-t-il en s'engageant dans l'escalier étroit.

— *Encore ?* Je ne te demande jamais rien !

— Tu plaisantes ?

— Pas du tout. Je te fiche la paix et je me contente de peu.

— Vraiment ? Tu oublies que depuis trente ans tu me poursuis en geignant : « T'as pas cent balles à me prêter ? » En plus, tu es passé des francs aux euros sans modifier le chiffre, laisse-moi rire ! Tu as fait trois fois le tour du périphérique pour te distraire, avec ce taxi ? Et si j'ai bien compris, tu as vomi dedans ?

Charles s'essoufflait à vitupérer en même temps qu'il grimpait les étages. Parvenu devant la porte de Florian, il s'appuya un instant au chambranle, attendant des explications.

— Viens, lui enjoignit sobrement son frère. Et ne t'inquiète pas, il va bien.

En pénétrant dans le studio, Charles eut la stupeur de découvrir son fils allongé sur le vieux canapé, un bandage maculé de sang sur le front et un gant de toilette, apparemment plein de glaçons, posé sur le nez.

— Mon Dieu…, murmura-t-il, saisi.

Florian débarrassa l'unique chaise, sur laquelle s'entassaient des journaux chiffonnés, et fit signe à son frère de s'asseoir.

— On va te raconter, ce n'est pas grave. Voilà, je…

— Vous avez appelé un médecin ? l'interrompit Charles.

— Pas la peine. Il n'a rien de cassé.

— Qu'en sais-tu ? Tu es inconscient, ma parole !

— Arrête, papa, intervint Julien.

Il se redressa un peu, eut une ombre de sourire.

— Je me suis fait prendre à partie par un… Un…

Il chercha le bon mot, lança un regard de détresse à son oncle.

— Dealer, acheva Florian sans s'émouvoir.

Abasourdi, Charles se laissa tomber sur la chaise branlante.

— J'aimerais comprendre, articula-t-il.

— À condition de ne pas t'énerver, exigea Florian. Bon, Julien avait une petite ardoise, rien d'extraordinaire, mais dans ce milieu on ne plaisante pas. Comme il n'avait pas le fric, ça a dégénéré. Et puis il m'a appelé et je suis allé le récupérer. J'ai payé le mec. Enfin, presque, parce que je n'avais pas tout à fait assez, ce qui ne lui a pas plu. Le ton est monté et on a dû abandonner le portable de Julien pour être quittes.

38

Après, un taxi a bien voulu nous emmener, vu qu'on n'allait pas prendre le métro dans cet état, et que de toute façon, on n'avait plus de quoi acheter les tickets. Voilà, tu sais tout.

Il y eut un long silence, auquel Julien mit fin en chuchotant :

— Désolé, papa.

— Moi aussi ! explosa Charles. Pourquoi ne m'as-tu pas téléphoné à *moi* ? Pour ne pas te faire engueuler ?

— Non… Non, en fait, je n'y ai pas pensé.

Charles eut l'impression de recevoir un seau d'eau glacée en plein visage. Dans son affolement, Julien avait songé à Florian d'abord. Un constat difficile à admettre. Oncle et neveu avaient donc noué un rapport de confiance qui n'existait pas entre père et fils. Qui ne *pouvait pas* exister, tout simplement parce que Charles n'avait rien vu, rien su. Était-il moins attentif qu'il ne l'avait cru, et aussi bien moins subtil que son frère ? Son échelle de valeurs n'était-elle pas à revoir ? N'avait-il pas fini par se croire supérieur à force d'être le seul à décider, le seul à soutenir sa famille ? Ses certitudes ne le rendaient-elles pas aveugle, indifférent ? Il se sentait soudain démuni, impuissant, « à côté de la plaque », aurait dit Florian.

— Florian m'a répondu immédiatement, poursuivit Julien. Pas la peine d'ameuter tout le monde.

— Je ne suis pas *tout le monde*, soupira Charles, je suis ton père. Et je t'aime. Mais tu as bien fait de t'adresser à ton oncle. Il était sûrement l'homme de la situation.

— Ben oui ! s'empressa d'acquiescer Julien. Toi, dans ce genre de circonstances… Pris au milieu d'une bagarre, tu aurais appelé les flics. Mieux vaut ne pas les mêler à ces trucs, ça te fait une mauvaise réputation et ça te retombe dessus.

Une bagarre ? Charles se tourna vers son frère qu'il examina. Un bleu s'élargissait sur sa pommette et le col de sa chemise était déchiré. Il ne l'avait pas remarqué jusque-là, obnubilé par son fils.

— Dans quoi t'es-tu fourré ?…, soupira-t-il, accablé.

Un nouveau silence tomba. Charles réfléchissait, et brusquement il se redressa.

— Tu as entraîné ton oncle dans une sale histoire. Si tu tiens absolument à fumer un joint de temps en temps, ce que je réprouve, arrange-toi au moins pour avoir de quoi te l'offrir ! Florian n'a plus l'âge de faire le coup de poing pour toi. S'il avait été blessé, je t'en aurais beaucoup voulu.

Pour la première fois, il prenait la défense de son frère, pas de son fils. Il se leva, s'approcha de Julien. Avec des gestes doux, il souleva le bandage de son front, vit que la plaie n'était pas assez profonde pour nécessiter des points de suture, puis il ôta le gant de toilette glacé et le remit aussitôt en place.

— Bon, décida-t-il, reste dormir ici. Si tu te lèves, tu vas sans doute recommencer à saigner du nez. Nous parlerons de tout ça une autre fois, à tête reposée.

Son regard erra sur le canapé usé, la caisse qui servait de table basse où il avisa un flacon de désinfectant et une boîte d'antalgiques. Florian avait décidément fait ce qu'il fallait. De nouveau, il se pencha vers son fils, déposa un baiser léger sur sa joue.

— J'espère que ça te servira de leçon, ne put-il s'empêcher de chuchoter.

— Je te raccompagne, dit Florian derrière lui.

Ils descendirent les six étages en silence et, une fois en bas, Charles demanda :

— Tu n'en as pas marre, de tous ces escaliers ? Tu ne voudrais pas habiter ailleurs ?

— Ah, non ! J'adore cet immeuble, je connais tout le monde ici. Et là-haut, c'est mon repaire, mon nid d'aigle. Je suis bien chez moi. Je n'ai jamais eu tes besoins. Avoir beaucoup de place me ferait peur.

Ils sortirent ensemble, sous une pluie fine qui s'était mise à tomber.

— Ne t'inquiète pas pour Julien, ajouta gentiment Florian, je m'en occupe.

— Je sais... Tu fais ça très bien.

— Merci de le reconnaître.

Durant quelques instants, ils échangèrent un regard complice, presque amusé.

— Ne reste pas sans argent, suggéra Charles. Avec un neveu pareil, mieux vaut prévoir, n'est-ce pas ?

Il prit une liasse de billets dans sa poche, en ôta un seul pour son taxi du retour et mit tout le reste dans la main de Florian.

— À plus, vieux ! lança-t-il avant de s'éloigner.

Quoi qu'il arrive, ils se reverraient le lendemain, ou le jour d'après.

HAUTAIN

Cette histoire est authentique dans ses moindres détails, et aujourd'hui je ne regrette pas de l'avoir vécue.

La première fois que je l'ai vu, il ne m'a pas plu. Cependant la décision ne m'appartenait pas, il ne m'était pas destiné et, par malheur, ma fille l'a trouvé à son goût.

À vrai dire, Fabienne se sentait dans l'urgence, il lui *fallait* un cheval immédiatement, pour oublier la mort brutale de sa jument. Or, s'il y a bien une chose que je ne sais pas faire, dans mon rôle de parent responsable, c'est résister au chagrin de mes filles. Et Fabienne avait pleuré sa jument jusqu'au désespoir, hébétée par sa disparition.

Je crois que nous approchions de la fin de l'automne. Je me souviens de la carrière détrempée, des arbres dépouillés, des cris sinistres des corneilles lors de ce premier et unique essai. D'abord, nous avions observé le hongre de cinq ans dans son box, où il nous avait semblé agité, un peu sur la défensive. Ensuite, nous l'avions sellé et bridé, puis Fabienne était montée dessus, les mâchoires serrées, le casque vissé sur la tête.

Au premier coup d'œil, j'ai remarqué la disproportion entre la puissance du cheval et la silhouette vulnérable de ma fille. Certes, elle possédait un niveau d'équitation correct, assorti d'une volonté sans faille, mais à l'évidence ce serait insuffisant pour dominer cette machine de guerre. Car c'est bien ainsi qu'il m'est apparu : Hautain avait l'air d'un cheval de combat. Le rein court, le poitrail large, l'encolure forte, et une manière de frapper ses sabots qui en disait long sur son caractère.

Néanmoins, il galopait souplement sous le ciel plombé de novembre, avec une sorte de rage ou de frayeur contenue. Très vite, l'instructeur a installé quelques obstacles pour faire la démonstration des qualités de l'animal qu'il comptait nous vendre. Et, tandis qu'il expliquait l'enchaînement du parcours à Fabienne, Hautain jouait au cheval à bascule, pliant ses jarrets dans l'attitude préparatoire à l'une des pires défenses, qui consiste à se cabrer. Toutefois, il n'allait pas au bout de sa révolte, il se contentait de l'annoncer.

D'une certaine manière, lorsqu'on va commettre une erreur, on le sait presque toujours. En tout cas, ce jour-là, je l'ai su. Les chevaux, je les connais depuis longtemps, entre eux et moi s'est tissée une très longue histoire au fil des décennies. Une histoire d'amour, d'exaltation et de larmes. Alors, même sans avoir le regard acéré d'un professionnel, je devine facilement à qui j'ai affaire, et je sais dans quelle catégorie ranger les chevaux, tout comme les cavaliers. Avec Hautain, je l'ignorais.

Il sautait bien mais un peu trop vite, comme pressé d'en finir. À l'abord, il partait de loin, à la réception, il accélérait encore. Fabienne peinait à le retenir, elle en avait « plein les bras », n'importe qui pouvait constater que Hautain l'emmènerait où il voudrait.

— Formidable, non ? a dit l'instructeur, enthousiaste.

— Ce n'est pas un cheval pour elle, ai-je répondu.

Mine apitoyée du bonhomme qui me taxa d'emblée de mère trop protectrice. Or je faisais exactement le contraire avec mes filles, choisissant depuis toujours de les pousser en avant. Et j'y avais d'autant plus de mérite, concernant les chevaux, qu'ils m'avaient apporté leur lot de malheurs.

Afin d'appuyer sa démonstration, l'instructeur partit monter les barres, et dès qu'il eut le dos tourné, je m'adressai au jeune moniteur venu assister, lui aussi, à l'essai.

— Ce n'est pas un cheval pour elle, répétai-je avec conviction, espérant une réponse honnête.

— Eh bien, bredouilla-t-il, d'ici quelque temps, si elle le travaille bien cet hiver…

J'étais fixée : j'avais raison. Ce destrier aurait été parfait dans un tournoi, sous la selle d'un chevalier en armure, mais pour les compétitions que visait ma fille, cela revenait à vouloir piloter une Ferrari pour se rendre chez l'épicier du coin.

Au second passage, Hautain nous gratifia de quelques sauts de mouton inopinés que l'instructeur qualifia aussitôt de « mouvements de gaieté ». Résignée, j'attendis que ma fille ait mis pied à terre pour lui demander ce qu'elle pensait du cheval.

— Formidable, non ? fut sa réponse, prononcée d'une voix saccadée. Avec lui, tu ne sautes pas, tu voles !

Si elle cherchait des sensations, aucun doute, elle allait en trouver. Mais je devinais surtout ce que mon aînée avait dans la tête à cet instant précis : elle se lançait un défi à elle-même, sans imaginer jusqu'où cette gageure allait l'entraîner.

Le surlendemain, j'achetai Hautain. Je le fis avec réticence, m'obligeant à ignorer tous mes mauvais pressentiments et priant le ciel pour que le guerrier se révèle au bout du compte un gentil petit soldat.

Cet hiver-là, Fabienne prit la mesure de son erreur d'appréciation, mais elle montra beaucoup de courage en allant monter trois fois par semaine, la peur au ventre. Elle avait dix-neuf ans, suivait ses études de droit à Paris et venait en Normandie dès qu'elle le pouvait. Hautain était trop fort pour elle, trop violent, trop difficile, il en administra la preuve dès le premier concours hippique. Il s'agissait d'une épreuve simple, d'ailleurs accomplie sans faute, mais tandis que nous ramenions à pied le cheval au camion, nous nous aperçûmes que, même à deux, il était très difficile à tenir.

Les premiers temps, j'eus beau le surveiller comme le lait sur le feu, mon opinion sur lui ne progressa guère. On ne pouvait pas le traiter de cabochard, il n'était ni rétif ni vicieux, peut-être avait-il seulement peur de l'humain ; en tout cas, il n'était pas tranquille dans sa tête. Hautain, mais pas serein.

Jusqu'au printemps, Fabienne s'acharna à essayer de comprendre et, accessoirement, de dominer sa monture. Son équitation y gagnait, elle progressait, prenait de l'assiette et de l'assurance, tout ça au prix d'innombrables chutes, bien entendu. Mais, par-dessus tout, elle tentait de se faire un ami, un allié, un partenaire.

Avec le recul des années, j'ai acquis la certitude que Fabienne aurait pu y arriver si elle avait été la seule à monter et à soigner son cheval. Hélas, quatre jours par semaine, d'autres qu'elle détruisaient le travail de confiance qu'elle entreprenait tous les week-ends. Pour monter Hautain, il fallait être un cavalier confirmé, c'étaient donc des hommes très sûrs d'eux qui, à longueur de semaine, se confrontaient à ce cheval avec violence, aggravant ses peurs et ses défenses. Nous en arrivâmes au point où, pour le tondre quand son poil était vraiment trop long, il fallait d'abord lui administrer des piqûres de calmants.

Pourtant, un beau matin – ou peut-être le *pire* des matins –, Hautain s'abandonna enfin. Il accepta l'affection et la patience de Fabienne, il s'en remit à elle. Ce qui ne signifiait pas qu'il allait devenir un cheval facile, mais eut pour effet d'enchaîner définitivement le cœur de ma fille.

Certains de ceux qui se prétendent des professionnels du cheval ont oublié une notion pourtant fort bien décrite par les anciens écuyers : la confiance. Rien de valable ne s'obtient d'un animal par la contrainte, voire la brutalité. Avec Hautain, la brutalité était la pire des méthodes. Je l'ai vu une fois, sous la selle d'un moniteur, percuter délibérément du poitrail tous les obstacles d'un parcours car il avait décidé qu'il ne sauterait pas ce jour-là, et encore moins avec cette personne-là. En plus d'être caractériel, il était malin, réussissant à ouvrir la porte de son box pour s'échapper la nuit. Quand on le mettait au pré pour lui accorder une après-midi de détente, s'il décidait de rentrer, il sautait les barbelés, quitte à déchirer son encolure dessus. J'ai cessé de tenir le compte de tous les licols qu'il a cassés, et je me souviens de lui avoir souvent couru après, y compris sur les terrains de concours lorsqu'il s'était débarrassé de Fabienne dans un coin et galopait crinière au vent.

Bref, c'était un cheval à problèmes, des problèmes que Fabienne espérait résoudre.

Comme il sautait bien, il obtint avec ma fille quelques classements, des plaques et des flots, des tours d'honneur. Et l'instructeur décida qu'il était temps de changer de catégorie, de passer à des épreuves plus sérieuses. Une nouvelle erreur qui précipita le chaos.

Avec des obstacles plus hauts et des difficultés techniques plus importantes, les choses se compliquèrent inéluctablement. Hautain acceptait de faire plaisir à Fabienne, qui ne pesait rien sur son dos, mais il allait toujours beaucoup trop vite, accumulant les fautes avec indifférence. Il y eut bon nombre de chutes, de refus, de frayeurs. Pour y remédier, l'instructeur multipliait des « séances » punitives qui terrorisaient le cheval et lui donnaient le dégoût de ces barres multicolores qu'il devait sauter jusqu'à épuisement.

Si l'histoire prenait peu à peu une inquiétante tournure, je ne disposais d'aucun moyen pour intervenir. Fabienne avait vingt ans, elle *aimait* son cheval de manière aveugle et désespérée, elle songeait même à

préparer le monitorat avec lui, bref, elle était persuadée que les choses pouvaient encore s'arranger. À la
lettre, elle appliquait les proverbes que j'avais cru bon
de lui ressasser durant son adolescence : *Rien ne résiste
au travail. Quand on veut, on peut. Aide-toi, le ciel
t'aidera.*

Cette année-là, elle se fractura le coccyx puis,
quelques mois plus tard, le poignet, car Hautain demeurait aussi violent qu'imprévisible. Autour de moi, la
famille s'agitait, personne ne comprenait que je n'envoie pas « ce foutu cheval à la boucherie ». Comment
l'aurais-je pu ? Ma fille était adulte et elle réussissait
bien ses études. Qu'il pleuve ou qu'il gèle, elle allait
monter avec un courage intact, et quand elle me parlait
de Hautain, c'était sur le ton d'une passion farouche.
Elle avait tellement investi sur lui ! Il était au centre
de sa vie, il remplissait tout l'espace disponible, sans
doute incarnait-il des rêves ou des émotions impossibles à partager et introuvables ailleurs.

Sur les terrains de jumping, Fabienne était parfois livide de terreur avant le départ, mais elle avait
des étoiles dans les yeux à l'arrivée. Elle vivait
quelque chose que j'étais peut-être la seule à pouvoir
comprendre, cramponnée à la lice sans la quitter des
yeux, fière d'elle ou furieuse contre elle, en tout cas
ravagée d'angoisse.

Les mauvais jours devenant beaucoup plus fréquents
que les bons, nous avons fini par prendre une décision
radicale au printemps suivant, et nous avons changé
de club hippique. Fabienne n'avait plus confiance en
son instructeur, il était grand temps de mettre Hautain
entre des mains plus douces.

Notre nouveau coach était une femme, cavalière de bonne réputation et habituée aux épreuves de haut niveau. En lui exposant les problèmes qui nous avaient conduites chez elle, je crus Hautain tiré d'affaire, et ma fille avec lui.

Ai-je précisé que Hautain était un beau cheval ? Si j'ai omis de le faire, c'est la preuve que je lui en veux encore de toutes les frayeurs qu'il m'a infligées. Donc, il était beau-cheval, le genre d'expression contractée en un seul mot, comme beau-gosse, et, bien que castré, il affichait des attitudes d'étalon.

Durant toute l'année qui suivit, Hautain ne fit aucun progrès notable car notre monitrice, après ne l'avoir monté qu'une seule fois, estima plus judicieux – ou plus prudent – de dispenser ses conseils à pied. Sur les parcours, les résultats demeuraient très inégaux, ce qui n'avait guère d'importance après tout, puisque le but ultime était de *calmer* ce cheval.

Les matins de concours, Fabienne se levait à cinq heures pour aller embarquer Hautain dans le camion et s'assurer qu'il avait bien ses protections de transport, sa couverture, que rien ne manquait à son confort. Après une épreuve, et même si elle avait atterri à plat ventre dans la boue, elle était capable de courir chercher un seau d'eau à un kilomètre de là où elle se trouvait pour lui donner à boire. Elle avait toujours des pommes ou des carottes pour lui, des mots tendres, des gestes affectueux auxquels le cheval répondait par un instant d'abandon, enfin apaisé. Il mordillait la manche de son blouson, la poussait du chanfrein, tournait la tête pour la regarder. Ce qu'ils vivaient tous deux n'appartenait qu'à eux. Il faut avoir eu un animal et l'avoir beaucoup aimé pour entrevoir la force du lien qui unissait ma fille-têtue et son beau-cheval. Elle *refusait* d'échouer avec lui, alors que la partie était déjà quasiment perdue.

Avant une épreuve de concours hippique, les cavaliers détendent leurs chevaux en leur faisant sauter quelques obstacles d'échauffement au paddock. Avec Hautain, les paddocks tournaient souvent à la catastrophe. Je me souviens d'une après-midi où, n'ayant pas pu accompagner Fabienne car je devais faire une séance de signatures chez un libraire, ma fille cadette m'avait remplacée. Frédérique n'aime pas les chevaux, elle en a peur, mais elle comprenait la nécessité d'un soutien moral pour sa sœur. Comme elle était venue à plusieurs reprises me tenir compagnie sur tous ces terrains boueux de Normandie, elle finissait par avoir l'habitude d'entendre le coach hurler au paddock :

— Arrête-le !

C'était l'ordre qui revenait systématiquement, car Hautain n'en faisait qu'à sa tête et continuait à sauter trop vite, chargeant les barres à la façon d'un guerrier kamikaze. Mais, ce jour-là, Frédérique vit sa sœur tomber trois fois de suite au paddock, de plus en plus durement, Hautain ayant décidé qu'il s'arrêterait juste devant l'obstacle. Il arrivait comme une fusée et pilait à la dernière seconde. Affolée, impuissante, Frédérique m'a téléphoné en larmes, persuadée que sa sœur allait se tuer sous ses yeux. J'ai suggéré, sans grand espoir, que Fabienne déclare forfait et qu'elle remette le cheval dans le camion, mais elle a voulu prendre le départ, effectuant à l'évidence un très mauvais parcours.

Nous frôlions le drame, Hautain devenait dangereux pour de bon et je ne pouvais plus cautionner cette situation. Toute la famille bouillait de rage, il nous fallait sortir de l'impasse. Le salut parut venir d'un dresseur de chevaux qui se trouvait dans le Nord, du côté de Valenciennes. L'homme n'était ni un « murmureur » ni un charlatan, il possédait une grande expérience des chevaux rétifs, un calme légendaire, une patience infinie, et une bonne dose de sympathie pour Fabienne.

Une fois de plus, il fallut annoncer notre décision de quitter le centre équestre, et nous fûmes obligées de louer un van pour transporter Hautain jusqu'à sa nouvelle écurie, à deux cent cinquante kilomètres de là. Bien entendu, il ne voyageait pas très sagement, tapant les parois du camion et hennissant, mais nous arrivâmes à bon port, par une froide journée d'automne.

Après une longue conversation avec le dresseur, Hautain fut installé dans un box confortable, et malgré la fatigue du retour pour rapporter le camion en Normandie, je sentis renaître une lueur d'espoir.

Il y eut quelques semaines calmes. Puis le dresseur vint nous rendre visite, assez satisfait des progrès de Hautain. Il nous montra une vidéo du cheval sautant en liberté dans son manège, l'œil moins fou, le galop plus léger, et il encouragea Fabienne à venir le monter de nouveau afin de reprendre confiance. Durant plusieurs mois, elle passa donc la plupart de ses week-ends dans le Nord, revenant avec des sensations mitigées. Certes, son cheval se comportait mieux que par le passé, cependant les choses étaient loin d'être parfaites. Comme la plus grande qualité des chevaux est leur mémoire, Hautain ne parvenait pas à oublier certaines « leçons » trop brutales, et même s'il se défendait moins, même s'il ne manifestait aucune crainte devant son dresseur, il ne retrouvait pas son enthousiasme de jeune cheval.

Au printemps, Fabienne décida de participer à un concours dans la région de Valenciennes, et je me rendis là-bas avec beaucoup de curiosité. Hautain s'était remusclé, il m'apparut très beau-cheval et se montra à peu près sage, tant au paddock que durant l'épreuve. Pourtant, je ne fus pas convaincue. Quelque chose n'était pas naturel dans son attitude, je voyais bien qu'il hésitait, qu'il ne savait plus trop où il en était, et que son dégoût des obstacles n'était pas vraiment guéri. Fabienne elle-même ne semblait pas tout à fait y croire. Pour elle, l'hiver avait été dur avec toute cette route à faire pour aller voir son cheval, avec le froid glacial, la lumière électrique du manège, le dresseur qui lui demandait des choses difficiles. Je ne sais pas quelle était son opinion exacte à ce moment-là, mais la mienne, que je gardais pour moi, était sans appel : Hautain restait dangereux.

Hélas, renoncer n'était pas concevable aux yeux de Fabienne. Elle avait consenti trop d'efforts et de sacrifices, elle ne pouvait pas se résoudre à accepter le constat d'échec. Plus grave encore, elle aimait trop Hautain pour l'abandonner.

Nous atteignîmes le bord du gouffre au début de l'été.

Le concours hippique de Cabourg se déroule dans un très beau cadre et réunit des cavaliers de tous niveaux durant trois jours. Nous étions au mois de juin 2004, très précisément le 18, la date est inscrite sur l'une des innombrables photos que je possède de Fabienne et de Hautain.

J'ai beau me raisonner, il m'est toujours impossible de songer à cette journée sans éprouver le même sentiment de tristesse, d'angoisse et d'amertume. Pourtant, tout avait bien commencé. La veille, Fabienne avait participé sans aucun problème à une épreuve, et elle m'avait aussitôt téléphoné pour me demander de venir la voir le lendemain. Lorsque je la rejoignis, elle espérait vraiment me prouver que son cheval avait changé. Nous déjeunâmes en compagnie du dresseur, qui était confiant, lui aussi, et qui me décrivit longuement les progrès de Hautain. C'est donc presque tranquillisée que je me rendis au paddock pour assister à l'échauffement. Il faisait beau, j'étais avec l'une des tantes de Fabienne qui est, par ailleurs, une de mes amies d'enfance. Nous bavardions, appuyées à la barrière et heureuses d'être là, quand les choses ont commencé à se gâter. Hautain semblait très mal luné, pas du tout décidé à sauter, même pas une petite barre d'essai. Désordonné, fuyant, il chargeait l'obstacle, puis le refusait brutalement. Fabienne tomba une première fois, et Hautain s'échappa à travers l'immense terrain du jumping. Il fallut le rattraper, le ramener au paddock, mais il se débarrassa de Fabienne une deuxième fois, plus durement, et repartit comme un fou. Il y eut une troisième chute, vingt minutes plus tard. J'étais horrifiée, je n'avais jamais vu un aussi mauvais paddock. Et l'évidence s'imposait : ce cheval *ne voulait plus* sauter.

Fabienne était épuisée, un peu hagarde, néanmoins, elle s'était remise en selle. Le dresseur partit demander une dérogation au jury car son numéro était passé depuis longtemps. Pourquoi, devant une catastrophe pareille, n'a-t-il pas choisi de déclarer forfait ? Je ne le saurai jamais, mais, aujourd'hui, je pense que cette décision a été un mal pour un bien.

La cloche du départ a retenti et Hautain s'est élancé. Je m'étais postée tout en bord de piste, devant l'obstacle numéro 8. Pourquoi celui-là ? Je n'en sais rien non plus. Dès le début, j'ai vu qu'ils allaient trop vite et que Fabienne ne contrôlait pas grand-chose. Le cheval a fait un refus au numéro 3, Fabienne est restée sur sa monture, ils sont repartis. À la réception du numéro 7, le virage était difficile à prendre pour venir vers nous. La foulée était mauvaise, le tracé aussi, Hautain a pilé au dernier instant et Fabienne est tombée. Presque tout de suite, elle s'est relevée, ce qui m'a permis de recommencer à respirer. J'en étais malade, je ne voulais plus rien voir de ce désastre, pourtant, le pire était à venir. Le reste s'est gravé sur ma rétine avec la précision d'un film au ralenti. Le dresseur est sur la piste, il remet Fabienne à cheval. Elle paraît sonnée comme un boxeur. Elle revient sur cet oxer numéro 8, mais la foulée sort toujours aussi mal. Le cheval charge, en pleine panique. Fabienne est hors d'état de faire quoi que ce soit pour l'aider. Il freine juste devant, expédiant ma fille sur le chandelier qui soutient l'obstacle. Et tandis qu'elle s'écrase dessus, il décide de sauter quand même, s'arrache dans un saut désespéré et percute toutes les barres. Fabienne gît sur le dos, les bras en croix. Elle n'est qu'à quelques mètres de moi, inerte, et j'enregistre à la fois son teint livide, ses yeux fermés, le sang qui coule de son casque sur son visage.

La peur de ma vie, je l'ai ressentie à cette seconde-là. Des images se télescopent au fond de ma tête. J'ai *déjà* vécu une horreur semblable, dont je ne veux pas me souvenir. Dans un état second, je passe sous la lice, je m'agenouille près de ma fille. Et, Dieu merci, le miracle se produit, elle rouvre les yeux. Un médecin arrive en courant, il l'ausculte, enlève le casque avec précaution. C'est juste son oreille qui saigne abondamment, le cartilage en bouillie.

Voir Fabienne sortir de la piste sur ses deux jambes me dénoua définitivement le ventre. Deux minutes plus tôt, j'étais prête à vendre mon âme au diable. Toutes les mères comprendront. En tout cas, le destin de Hautain était désormais scellé.

Je n'eus pas besoin de le dire à Fabienne, elle aussi me connaissait suffisamment pour savoir que je ne transigerais pas : plus question, *jamais*, de sauter avec ce cheval.

Oui, mais que faire de lui ?

Quelques jours plus tard, ma fille se résigna, la mort dans l'âme, à envisager de se séparer de Hautain. L'une de ses amies, qui possédait une très belle écurie dans notre région, accepta de l'héberger, le temps de lui trouver un acheteur. Une fois de plus, il fallut aller le chercher dans le Nord en camion pour le ramener en Normandie.

Bien entendu, un éventuel acquéreur ne pouvait être qu'un cavalier très confirmé. Malheureusement, tous ceux qui se présentèrent connurent le même sort : chaque essai se terminait par une chute spectaculaire. Hautain ne voulait plus sauter, et il ne voulait pas non plus d'un nouveau maître. Je crois qu'il voulait seulement qu'on lui fiche la paix.

Au bout d'un mois, nous eûmes l'idée de le conduire dans un centre équestre où on ne pratiquait pas l'obstacle. Nous étions résolues à le vendre pour un prix dérisoire, voire même à le donner, à condition que ce fût à un cavalier qui ne le brutaliserait pas. Mais Hautain ne supportait plus rien et continuait à jeter tout le monde par terre. J'avais de la peine pour lui, de la peine pour ma fille.

Fabienne était obnubilée par le destin qu'allait connaître son cheval, qu'elle continuait à aimer avec passion. D'ailleurs, elle était quasiment la seule à pouvoir le monter encore pour l'emmener se promener, et bientôt, elle serait la seule à pouvoir l'approcher, car tous ces changements et tous ces essais le rendaient de plus en plus ombrageux. Personne ne voulait de lui, il ne voulait de personne.

Le scandaleux conseil de la « boucherie » revint en force dans les conversations familiales, ce qui rendait Fabienne folle, mais, par bonheur, elle savait bien que je m'y opposerais. J'étais dans son camp, dans celui de Hautain, malgré tout ce qu'il nous avait fait subir, malgré tout ce qu'il avait pu coûter de frayeurs, de déceptions, de chagrin et aussi d'argent durant ces quatre années.

Je ne pouvais pas le mettre dans mon jardin, je ne pouvais pas le tuer, je ne pouvais pas continuer à l'entretenir pour rien.

Et puis nous eûmes enfin un vrai coup de chance. Le genre d'événement qu'on n'attend pas, qu'on n'espère plus. Quelqu'un, dans la région, cherchait un compagnon pour sa jument, une brave bête qui coulait une retraite heureuse dans un pré mais s'y ennuyait.

Osant à peine croire à cette opportunité, nous allâmes voir le pré en question, qui était immense et verdoyant, avec un bel abri pour les jours d'hiver.

Par un matin d'automne, nous chargeâmes Hautain dans un camion pour la dernière fois. Le monsieur nous attendait en compagnie de sa jument, et j'espérais de tout cœur que Hautain allait l'adopter sans faire d'histoires. C'était son ultime chance, il fallait qu'il la saisisse.

Je revois Fabienne tenant le licol tandis que j'enlevais les protections de transport. Hautain était très nerveux, à la fois impatient de s'élancer sur l'herbe et inquiet de ce nouveau changement. Quand Fabienne l'a lâché, il est parti comme un boulet de canon vers la liberté, aussitôt escorté de la jument.

Il vit heureux là-bas depuis bientôt deux ans. Au début, quand Fabienne allait le voir, elle revenait en pleurs. Son beau-cheval était devenu gras en quelques semaines, sa crinière était tout emmêlée, son poil couvert de boue séchée, et elle considérait toujours qu'elle avait échoué avec lui. Elle a eu besoin de temps pour admettre qu'elle n'était pas responsable de ce gâchis. Tous les gens à qui nous avions confié Hautain n'ont pas su ou pas voulu prendre en considération son caractère particulier. Mon opinion sur le petit monde des marchands de chevaux n'en est pas sortie grandie.

Aujourd'hui, Hautain et son amie la jument sont inséparables. Si vous passez par la Normandie, peut-être les apercevrez-vous, en haut d'une colline ou le long d'une barrière. Hautain est facilement reconnaissable, il a conservé son port de tête d'étalon, et sa manière de frapper ses sabots en galopant. Peut-être verrez-vous aussi la silhouette d'une jeune femme au milieu du grand pré, mais ce que vous ne discernerez pas, c'est qu'elle a encore les larmes aux yeux.

NOCTURNE

Avec la semaine de trente-cinq heures, les emplois du temps avaient été bouleversés. Autrefois, dans les souvenirs que Pierre en conservait, on dînait, on dormait et on se réveillait avec les poules, à l'hôpital. Eh bien, c'était fini ! Ou alors, ça dépendait de l'établissement, du nombre d'équipes ? En tout cas, ici, vers vingt-deux heures, l'activité reprenait soudain comme en plein jour, même si l'infirmier annonçait qu'il était celui de la nuit. Il enchaînait la prise de tension, la distribution de médicaments, la mise en place d'aérosols, la litanie des questions. « Pas de douleurs ? Pas froid ? Besoin du bassin ? Je remplis votre carafe ? » Somme toute, un infirmier vaillant, qui attaquait sa garde de bonne humeur, prêt à plaisanter avec les malades qu'il venait de réveiller. Et quand enfin il s'en allait, quand il s'éloignait le long du couloir en poussant son chariot, on l'entendait encore bavarder dans la chambre voisine ou celle d'en face.

Puis le silence se réinstallait peu à peu. Mais, avant cela, plus personne n'ayant sommeil, des bruits familiers de toux et de chasses d'eau se faisaient entendre, des raclements de chaussons, des murmures. Ensuite ne restaient que les bips réguliers des monitorings. Un son lancinant qui endormait ou rendait fou.

Résigné, Pierre se préparait à affronter une nouvelle insomnie. Aujourd'hui, il avait changé de chambre, mais elles se ressemblaient toutes, avec deux lits, deux télés, deux fauteuils, des murs tristes et une odeur tenace de désinfectant. Il jeta un coup d'œil à son voisin qui s'était tourné vers le mur et peut-être déjà rendormi. Tout l'hôpital ne tarderait plus à en faire autant. Le témoin lumineux de l'appel d'urgence se trouvait à portée de sa main et Pierre aurait dû se sentir rassuré, au lieu de quoi une angoisse diffuse commençait à peser sur lui. Dans l'obscurité, il ne parvenait pas à voir si la porte était fermée. Le personnel soignant se contentait souvent de les repousser et elles restaient entrouvertes. Pierre songeait à tous ces étages, ces couloirs, ces ascenseurs… Il se demandait où se situaient les blocs opératoires, la radiologie, l'entrée des urgences, la morgue. Il essayait de dresser un plan des lieux dans sa tête, se prenait à imaginer un médecin de garde épuisé luttant contre le sommeil sur un lit de camp, deux infirmières bavardant à voix basse, et quelque part un malade qui peut-être glissait en silence dans le coma et ne verrait pas l'aube. Le meilleur et le pire, toujours si étroitement liés dans un hôpital.

Chassant ces pensées morbides, Pierre essaya de songer au lendemain. Quand le jour viendrait, la ruche s'animerait avec les mêmes rituels : prise de tension, médicaments, plateaux des petits déjeuners. Sauf pour les patients dont l'intervention chirurgicale était programmée et qui, la peur au ventre, se doucheraient à la bétadine avant d'enfiler la charlotte, le slip et les chaussons jetables.

Mais, pour l'instant, il faisait nuit. Son voisin de chambre bougea et gémit, il devait faire un mauvais rêve. Au moins, il rêvait, tandis que le sommeil fuyait Pierre. À quoi penser, dans un étroit lit d'hôpital, sinon à la maladie, à cette terrible condition humaine qui, quoi qu'on fasse et qui qu'on soit, mène inéluctablement à la mort ? Comment savoir si l'on a déjà fait son temps ou s'il en reste encore ?

Secoué d'un frisson désagréable, Pierre se redressa, alluma son spot de lecture. Depuis le début de la semaine, il avait subi un certain nombre d'examens dont il ignorait les résultats puisque les patients ne semblaient jamais aptes à comprendre le jargon médical et qu'on leur parlait volontiers comme à des enfants attardés.

Sans conviction, il reprit son journal, ouvert à la page des mots croisés. Il n'avait pas rempli beaucoup de cases, les définitions étaient trop alambiquées. Ou alors, il était incapable de réfléchir. Il aurait voulu être chez lui, sur son vieux canapé moelleux, avec son chien couché à ses pieds. Il se serait servi un petit verre, aurait remis une bûche sur les braises. Un bonheur paisible qui, vu d'ici, semblait tellement inaccessible ! Au point que, saisi d'une véritable bouffée d'angoisse, Pierre rejeta le drap et la couverture pour s'asseoir au bord du lit. Le cœur battant trop vite, la respiration saccadée, il s'obligea à fermer les yeux un instant pour visualiser dans sa tête ce panneau qu'il avait lu cent fois : « Le patient peut décider à tout moment de quitter l'hôpital, où il n'est pas retenu contre son gré. Si les médecins sont d'un avis contraire à sa sortie, le patient devra signer une décharge. » En clair, Pierre n'était pas en prison, s'il voulait rentrer chez lui il en avait le droit. Mais serait-ce le bon choix et en aurait-il la force ?

Son voisin de chambre se retourna soudain et le toisa, tout en lâchant d'une voix forte :

— N'y pensez même pas !

— Pardon ? bredouilla Pierre, stupéfait.

— À vous enfuir. N'y pensez pas, c'est idiot.

— Mais comment…

Incapable d'achever sa phrase, Pierre la laissa en suspens jusqu'à ce que l'autre s'explique.

— Comment je sais à quoi vous pensez ? On pense tous à la même chose, pardi ! Se carapater pour échapper à l'ambiance délétère de l'hôpital. Se retrouver chez soi et reprendre le cours de sa vie où on l'a laissé. Faire comme si rien ne s'était passé, comme si on n'avait jamais été malade, jamais été conduit ici, parfois en urgence, avec le trouillomètre à zéro. Et pourtant, à peine admis, on veut déjà repartir !

— Eh bien, je suppose que ça dépend de la gravité de…

— De rien du tout ! Personne ne contredit les médecins, personne ne s'en va en claquant la porte. L'hôpital est un temple, les toubibs des prêtres entre les mains desquels on remet humblement notre sort. On attend d'eux la solution, le remède miracle et, bien sûr, la guérison. À condition qu'elle soit rapide !

Un rire amer ponctua la fin de sa tirade, puis il se tut. Dans l'éclairage chiche du spot de lecture orienté vers son propre oreiller, Pierre distinguait mal les traits de son voisin et ne parvenait pas à lui donner un âge.

Ils étaient toujours assis face à face, au bord de leurs lits respectifs, et le silence s'éternisait.

— Vous êtes ici depuis longtemps ? finit par risquer Pierre.

— Deux semaines.

— Ah… Et vous allez bientôt…

— Sortir ? Non. Mes bilans sont mauvais, mon cas s'aggrave, nos bons docteurs sont impuissants.

Il leva la main comme pour prévenir toute interruption intempestive de Pierre et enchaîna :

— Pas de compassion, merci. Je suppose que la fin arrive, même si c'est raide à admettre. Figurez-vous que mon cœur ne veut plus faire son boulot, il se traîne. Il a d'ailleurs toujours été paresseux. Un vrai boulet ! Je vous dis tout ça parce que vous allez me le demander. On finit toujours par poser des questions à son compagnon d'infortune, ça passe le temps de comparer ses misères. Mais en ce qui vous concerne, vous auriez tort de vous inquiéter, vous sortez demain.

— Moi ? Demain ? répéta Pierre, éberlué et incrédule. Comment le savez-vous ?

— À force de traîner ici, j'en sais beaucoup… Il suffit d'écouter pour apprendre à traduire le sabir médical des hommes de science ! Et en les observant attentivement, on parvient à décrypter leurs mimiques. Alors, croyez-moi, ils vont vous lâcher, ils sont contents de vous. Une fois rentré à la maison, buvez donc un coup à ma santé, ou plutôt à ma mémoire, du train où vont les choses, et souhaitez-moi un bon voyage.

Bien que son voisin n'en veuille pas, Pierre sentit qu'il éprouvait de la compassion pour lui. Mais aussi, sournoisement, un sentiment égoïste et euphorique à l'idée de partir, d'être guéri de cette mystérieuse infection pour laquelle il avait été admis cinq jours plus tôt. Il sourit au voisin qui lui adressa un signe apaisant, lui fit le V de la victoire avec ses doigts, puis se rallongea, lui tourna le dos et remonta ses couvertures. Pas un instant Pierre ne songea à mettre ses paroles en doute. Il se sentait rassuré, apaisé, presque heureux. Il se recoucha à son tour, éteignit le spot.

Le lendemain matin, à l'heure du changement d'équipe, des chariots dans les couloirs, des tensiomètres et des premiers médicaments de la journée, Pierre fut réveillé par les exclamations outrées de l'infirmière.

— Mais où est-il passé ? Mais je rêve ? Il s'est barré, je n'y crois pas !

Elle ouvrit à la volée le placard qui se trouvait près du lit du voisin, tira brutalement le tiroir de la table de nuit, fila vers la petite salle d'eau d'où elle ressortit rouge de colère.

— Il avait dit qu'il nous fausserait compagnie, qu'il s'en irait, et il l'a fait ! Il a emporté toutes ses affaires, jusqu'à sa brosse à dents !

Éberlué, Pierre considéra le lit vide de son voisin. Il ne connaissait même pas son nom.

— Il est fou, ajouta l'infirmière à l'intention de Pierre. Et il est très malade.

— Ah… Mais je suppose qu'il avait le droit de s'en aller ? C'est inscrit sur le panneau, dans le couloir…

— En pleine nuit ? Sans signer de décharge ? Et s'il se fait écraser devant l'hôpital ? S'il décède sur la voie publique ?

— Oui, mais nous ne sommes pas en prison, n'est-ce pas ? tenta faiblement Pierre.

Elle le toisa avec hargne et haussa ostensiblement les épaules. Enfin, elle prit sa tension, gardant les lèvres pincées sur sa fureur.

— Pensez-vous que je puisse sortir aujourd'hui ? risqua-t-il d'un ton qu'il espérait léger.

Cette fois, elle leva les yeux au ciel.

— Vous verrez ça avec le médecin quand il passera, mais ça m'étonnerait beaucoup !

L'infirmière avait perdu un patient et tenait sans doute à conserver tous les autres. Déçu, Pierre la regarda partir puis il se mit à réfléchir. À l'évidence, son voisin lui avait raconté n'importe quoi pour l'aider à s'endormir plus vite afin d'avoir le champ libre. Il l'imagina fourrant silencieusement ses affaires dans un sac avant de s'élancer dans les couloirs déserts et sous-éclairés. « La quille, bordel ! » devait-il se répéter, comme à l'armée du temps du service militaire. Par où était-il sorti ? L'entrée des urgences était la seule ouverte en pleine nuit, il avait dû se faufiler sans se faire voir.

Songeur, Pierre attaqua son petit déjeuner avec appétit. Encore une journée d'hôpital, d'accord, peut-être même deux ou trois. Son voisin anonyme et fantasque lui avait cependant confirmé quelque chose de très important : le panneau ne mentait pas, il n'était pas prisonnier. Pas prisonnier de ces lieux, en tout cas. Seulement de sa maladie.

HORS SAISON

1

— Les couverts sont là, annonça la propriétaire en ouvrant un tiroir.

La visite de la maison n'en finissait pas. Sabine aurait très bien pu trouver les couteaux et les fourchettes toute seule, même si la cuisine était vaste. Aussi vétuste que vaste, d'ailleurs, mais parfaitement ordonnée. Cette pièce dégageait l'atmosphère des lieux inhabités, propres parce que bien entretenus et aérés, mais où plus personne ne vivait depuis longtemps, hormis, parfois, des étrangers de passage.

— Sous l'évier, les produits d'entretien, poursuivit la dame. Si vous en finissez un, veillez à le remplacer. À présent, je vais noter devant vous les chiffres du compteur électrique. Je ne fais plus de forfait parce que j'y perdais. Les gens ont la vilaine manie de tout laisser allumé, comme au 14 Juillet !

Elle ne cherchait pas à se rendre sympathique ni à mettre à l'aise sa locataire. La visite du rez-de-chaussée se poursuivit de la même manière, avec un flot de recommandations superflues, ponctuées de réflexions acerbes. Sabine avait envie de lui dire qu'elle s'arrangerait pour ne pas mettre le feu à la maison ni provoquer une inondation ou casser la vaisselle.

— Je vous ai déjà expliqué au téléphone que les animaux domestiques ne sont pas admis ici. Vous n'imaginez pas tous les dégâts qu'ils m'ont faits à l'époque où je les acceptais ! Donc je n'en veux plus. Alors ne vous avisez pas de sortir un chat du fond de votre sac dès que j'aurai le dos tourné. De même, si vous avez la déplorable habitude de fumer, faites-le dehors, pas à l'intérieur. L'odeur du tabac imprègne tout…

Cessant d'écouter, Sabine observa les lieux avec plus d'attention. De vieux meubles, ni beaux ni laids, quelques horreurs méritant de finir dans une foire à tout mais aussi un ravissant secrétaire en bois de rose composaient le mobilier. Dans le salon, elle découvrit une imposante cheminée flanquée de deux fauteuils au cuir si patiné et aux accoudoirs si fatigués qu'ils invitaient à se vautrer devant la prochaine flambée sans plus bouger. Cet environnement hétéroclite avait quelque chose de doux : un cadre suranné et disparate, vaguement familier, accueillant malgré tout. Sabine décida qu'elle allait s'y plaire. S'y ressourcer, puisqu'elle était venue pour ça. Oublier, s'apaiser, rebondir, bref, les fadaises dont on se persuade quand on va mal. Au moins, elle avait pris la décision de bouger, et voilà qu'elle y était enfin, dans ce drôle de havre déniché sur Internet.

— Bien, je vous laisse, finit par déclarer la dame.

Apparemment, elle hésitait encore à confier les clefs de sa maison, sans doute vexée de sentir Sabine distraite.

— Si vous souhaitez prolonger la location, prévenez-moi à temps, j'ai beaucoup de demandes.

À l'évidence, c'était faux. En plein mois d'octobre, peu de gens devaient avoir envie de louer cette grande maison qui n'avait même pas vue sur la mer, perdue dans une campagne trop verdoyante, gorgée d'eau de pluie.

Lorsque la dame se décida enfin à partir, Sabine suivit longtemps des yeux la voiture qui s'éloignait sur le chemin boueux. Et presque tout de suite, une sensation de solitude aiguë s'abattit sur elle. Bien, elle était tranquille, ainsi qu'elle l'avait souhaité. Ici, personne ne l'empêcherait de réfléchir et de faire le point sur son existence afin de repartir du bon pied. Dans ses bagages, elle avait emporté son ordinateur portable, quelques livres, un lot de films qu'elle voulait revoir, puisqu'un lecteur figurait sur l'inventaire de la maison. Sur la banquette arrière de sa Clio, elle récupéra les provisions achetées à Trouville avant d'arriver. Des œufs, du beurre et du café, un camembert évidemment, un gros pain de campagne et deux bouteilles de vin blanc : tout pour passer une excellente première soirée !

Après avoir installé ses affaires et branché le chauffage dans sa chambre au premier étage, elle ressortit pour ramasser du petit bois. De grosses bûches étaient empilées dans un casier, près de la cheminée, avec quelques vieux journaux. En préparant sa flambée, Sabine jeta un coup d'œil aux titres devenus obsolètes, puis elle enflamma le papier. Une main appuyée au

linteau, elle le regarda s'embraser et lécher les brin-
dilles. Parfois, dans une auberge de campagne où elle
passait le week-end avec Laurent, ils avaient profité
d'une cheminée en se promettant qu'un jour ils auraient
une maison bien à eux. Mais ce projet ne s'était pas
concrétisé, systématiquement relégué par d'autres
impératifs.

Penser à Laurent la mit mal à l'aise et elle gagna la cuisine pour se servir un verre de blanc. Laurent… Quand
avaient-ils cessé d'être complices ? Et s'aimaient-ils
aussi fort qu'au début ? La nuit tombait, plongeant la
maison dans la pénombre, ce qui l'incita à fermer les
portes à clef avant d'allumer. Elle se sentit soudain
moins sûre de la pertinence de son choix. Venir s'isoler
dans le bocage normand sans dire à personne où elle
allait ne lui apporterait peut-être pas la sérénité qu'elle
recherchait. Son verre à la main, elle s'approcha d'une
des fenêtres à petits carreaux. Les différentes nuances
de vert des arbres et des prairies commençaient à se
fondre, elle distinguait à peine la haie qui fermait la
propriété. Un paysage tranquille avec la mer en contrebas, à la fois proche et lointaine, en tout cas invisible.
Qu'avait-elle imaginé en lisant l'annonce ? La proximité d'Honfleur était enthousiasmante, et des noms tels
que Criquebeuf, Pennedepie ou Équemauville l'avaient
fait rêver. Comme la plupart des Parisiens, elle connaissait un peu la région pour être venue à plusieurs reprises
déguster des moules à Trouville ou flâner à Honfleur.
En deux heures de route, le dépaysement était garanti
sur la Côte de Grâce avec ses hameaux aux maisons
disséminées, ses vaches dans les prés et les chalutiers
croisant au large. Aussi, devant la photo de la belle

chaumière à colombages, elle avait cru qu'elle s'endormirait avec le bruit du ressac et descendrait le matin sur la plage. Sauf que toutes les maisons à louer ne disposaient pas d'un panorama imprenable depuis la corniche et que, faute de s'être mieux renseignée, elle avait à présent l'impression de se trouver au milieu de nulle part.

Elle retourna dans le salon avec son verre, décidée à s'installer dans l'un des fauteuils au cuir patiné, mais alors qu'elle tirait les rideaux quelque chose attira son attention au-dehors. Était-ce une silhouette qu'elle venait d'apercevoir dans le jardin, du côté des pommiers ? Intriguée, elle resta immobile une longue minute, cherchant à percer l'obscurité. Il lui sembla distinguer une forme mouvante qui la fit soudain reculer, le cœur battant.

— Ne sois pas ridicule…, marmonna-t-elle.

Pourtant, la peur l'envahissait. Elle ferma vite le dernier rideau afin de ne plus être visible de l'extérieur, laissant un interstice pour continuer à observer. Son téléphone portable était dans la poche de son jean, elle n'avait qu'un geste à faire pour appeler la gendarmerie. Mais que dirait-elle ? Non, elle devait se calmer, il ne s'était *rien* passé. Néanmoins, elle attendit encore et, de nouveau, quelque chose bougea au fond du jardin, lui confirmant qu'elle n'avait pas rêvé. L'ombre se déplaça de manière furtive d'un tronc d'arbre à l'autre avant de disparaître. Il s'agissait bien de quelqu'un, pas d'un animal, et ce quelqu'un essayait de se dissimuler, elle en avait à présent la certitude. Était-ce un voisin trop curieux ? Un rôdeur malintentionné ? Longtemps, elle prêta l'oreille, mais il n'y eut aucun bruit de moteur, même lointain.

— C'est trop calme, ici…

Le son de sa propre voix la dérangea, cependant elle s'efforça de surmonter son malaise, se jugeant ridicule. Elle rouvrit le rideau pour mieux scruter les abords de la maison, sans rien voir d'anormal. Avec un haussement d'épaules qu'elle voulait désinvolte, elle retourna vers la cheminée. Le feu avait bien pris et de hautes flammes s'élevaient, réchauffant l'atmosphère de la pièce. Si Laurent avait été présent, il serait évidemment sorti, toujours prêt à affronter n'importe quel danger. Hélas, il n'était pas là pour la protéger. Drapé dans sa dignité, il l'avait regardée tandis qu'elle préparait son sac de voyage, et il était parti en claquant la porte. Ils ne se parlaient pas vraiment, et ce depuis trop longtemps. Ils faisaient l'amour avec passion puis s'endormaient aussitôt, épuisés. Ou bien ils somnolaient devant un film, blottis l'un contre l'autre. Ils travaillaient comme des brutes, recevaient leurs copains, sortaient en bande, mais jamais ils n'avaient de réelle discussion. Laurent avait une manière bien à lui de glisser sous le tapis les sujets qu'il ne voulait pas aborder. Sabine en était arrivée à la conclusion que, bien que tous deux très amoureux, ils ne partageaient aucune vision d'avenir. Or, ils avaient respectivement trente-trois et trente-cinq ans, il était temps d'y songer.

Prenant enfin place dans l'un des fauteuils, elle savoura une gorgée de vin blanc. L'inconnu du jardin était-il rentré chez lui ou avait-il seulement changé de poste d'observation ? Elle se demanda quel genre de nuit elle allait passer en se sachant épiée. La clef qu'elle avait remarquée sur la porte de sa chambre ne la rassurait qu'à moitié, et les petits carreaux des fenêtres semblaient bien fragiles. Pour fermer les volets, elle devait d'abord sortir et faire le tour de la maison dans l'obscurité, une perspective angoissante.

— Tu n'avais qu'à y penser plus tôt...

Après une autre gorgée, elle posa son verre, mit les coudes sur ses genoux et le menton dans ses mains, penchée vers la joyeuse flambée. Jouer à se faire peur n'était plus de son âge. Mieux valait méditer sur sa vie, sur sa déjà longue histoire avec Laurent, sur un désir d'enfant qui devenait plus pressant.

La chaleur des flammes finit par l'obliger à changer de position et elle se laissa aller contre le dossier. Tout à l'heure, elle ferait la dînette devant le feu, elle commençait à avoir faim. Quant aux volets... Alors qu'elle jetait un coup d'œil machinal vers la fenêtre, elle poussa un cri strident et se leva d'un bond en renversant son verre. Elle venait de voir, distinctement, un visage derrière les carreaux.

2

Terrifiée, Sabine gardait les yeux rivés sur la fenêtre où était apparu le visage d'un homme. Il n'y avait plus rien à présent que les carreaux uniformément noirs, mais elle savait que ce n'était pas son imagination qui lui jouait des tours. Quelqu'un était là, dehors, qui l'avait espionnée une partie de la soirée, d'abord de loin, puis s'approchant jusqu'à se retrouver de l'autre côté du mur, à deux mètres d'elle. Dans cette maison étrangère, disposait-elle au moins d'une arme pour se défendre ?

Elle se précipita à la cuisine et fouilla fébrilement les tiroirs. En saisissant un long couteau à viande, elle fit tomber des fourchettes qui rebondirent à grand fracas sur le carrelage. Le cœur battant à tout rompre, elle oubliait de respirer et dut prendre une longue inspiration. Elle sentait la sueur faire glisser le manche du couteau entre ses doigts. Que devait-elle décider pour ne pas être aussi stupide que les héroïnes des films d'horreur qui font toujours le mauvais choix ? Se précipiter à l'étage et se barricader ? Appeler les secours ne servirait à rien, le danger était trop proche, elle n'avait plus le temps. À moins que son cri n'ait effrayé l'inconnu et qu'il ait détalé. Mais, s'il l'observait toujours à travers ces foutus carreaux, il devait la trouver bien vulnérable avec le ridicule couteau qu'elle tenait en tremblant.

Le silence n'était troublé que par quelques rares crépitements en provenance de la flambée. Plus question de sortir pour fermer les volets. Alors, quoi ? Tout éteindre ? Elle aurait encore plus peur dans l'obscurité ! Surmontant son angoisse, elle leva les yeux vers la fenêtre de la cuisine et ne vit que son propre reflet. Restant le dos au mur, elle quitta la cuisine pour gagner le salon. D'un geste sec, elle tira le dernier rideau qu'elle avait bêtement laissé ouvert. Puis, sans lâcher le couteau, elle remit le pare-feu en place, attrapa son sac à main et se dirigea vers l'escalier qu'elle monta à reculons, une main sur la rampe pour ne pas trébucher.

Parvenue dans la chambre, elle ferma la porte à clef, la barricada en poussant laborieusement une commode devant. Ici, par chance, les volets étaient fermés puisqu'ils n'avaient pas été ouverts lors de la visite avec la propriétaire. Elle put enfin poser son arme de fortune sur la table de nuit et se laisser tomber au bord du lit. Ce qu'elle venait de vivre tenait d'une scène d'épouvante dans un mauvais film. Une tête à la fenêtre ! Et de grands yeux très sombres rivés sur elle... Pourquoi ? L'espace d'un instant, elle eut envie d'appeler Laurent. Si elle criait au secours, il viendrait aussitôt la rejoindre, elle en était presque certaine.

Presque. Sauterait-il vraiment sur sa moto en pleine nuit pour foncer en Normandie ? Elle n'avait pas voulu lui dire où elle allait, n'avait fourni comme explication à son départ qu'un besoin de réfléchir seule. Eh bien, seule, elle l'était, ainsi qu'elle l'avait voulu !

Se considérant à peu près à l'abri dans sa chambre, la terreur refluait lentement en elle, la laissant épuisée. Dès le lendemain matin, elle se rendrait à la gendarmerie et déposerait une main courante. Elle pourrait aussi téléphoner à la propriétaire pour l'informer de l'incident. Sans avoir le courage de se déshabiller, elle n'enleva que ses chaussures avant de se glisser sous la couette. Et alors qu'elle croyait passer une horrible nuit de veille, elle sombra dans le sommeil en quelques instants.

*

Le chant des oiseaux la réveilla un peu après huit heures, et la première chose qu'elle vit fut un rai de lumière grise autour des volets. Enfin, il faisait jour ! Elle alla ouvrir en grand, jeta un coup d'œil circonspect dans le jardin puis repoussa la commode pour sortir et se précipiter à la salle de bains. Elle prit une longue douche, revint s'habiller avec des vêtements propres. La vision du couteau sur la table de nuit lui arracha un sourire. Aurait-elle eu le courage de s'en servir ? En tout cas, sa terreur de la veille avait totalement disparu.

— J'ai faim ! claironna-t-elle. Faim !

Elle dévala l'escalier, traversa le salon et ouvrit les rideaux au passage. Le temps restait couvert mais il ne pleuvait pas, le paysage était serein. En attendant que le café soit prêt, elle s'aventura sur le perron de la cuisine pour tester la température. Elle était bien décidée à se promener aujourd'hui, et avant tout elle se rendrait à la gendarmerie. L'odeur du pain grillé la fit rentrer mais, en passant la porte, elle marcha sur une feuille de papier blanc qu'elle ramassa machinalement. Elle la déplia et considéra avec curiosité les quelques lignes tracées d'une écriture élégante.

« *Désolé de vous avoir effrayée hier soir. Cette maison fait partie de mon passé, je ne peux pas m'empêcher d'y revenir chaque fois que je suis de passage dans la région. Ce n'était évidemment pas vous que je cherchais, hélas j'ai toujours l'espoir de la retrouver. Je voudrais tant savoir ! Si vous êtes une de ses amies, accepteriez-vous de me parler d'elle ? Dans ce cas, laissez-moi un message sous le plus grand des pommiers, je le prendrai sans vous déranger.* »

Stupéfaite, elle relut plusieurs fois la lettre. Ainsi, ce n'était apparemment pas un individu dangereux qui l'avait épiée la veille. Néanmoins, il lui avait fait une peur bleue ! La signature était tout à fait lisible : J. Rohan. Cette initiale pour Jacques ? Jules ? Elle dévora trois tranches de pain de campagne bien beurrées et but deux cafés tout en réfléchissant. Devait-elle répondre ? La curiosité la poussait à tenter l'expérience, cependant elle ne savait pas à quelle femme il faisait allusion. La propriétaire des lieux ? Elle était trop revêche pour déclencher des passions, et surtout très facile à trouver sur Internet puisque son numéro de téléphone accompagnait l'annonce. Une locataire, comme Sabine ? Ce M. Rohan évoquait son passé, mais proche ou lointain ?

Quoi qu'il en soit, la visite à la gendarmerie ne s'imposait plus. Après avoir enfilé un gros pull, un ciré et des bottes de caoutchouc, elle sortit avec la ferme intention de s'offrir une grande promenade. La demande de l'inconnu l'intriguait tellement qu'elle en oubliait de penser à Laurent, ce qui était pourtant le but de son séjour ici.

Elle marcha un long moment dans la campagne boueuse, s'arrêtant pour observer les vaches dans les prés ou admirer une jolie maison nichée à flanc de colline. Parfois, une trouée de la végétation lui permettait d'apercevoir la mer, et le vent qui s'était levé laissait sur ses lèvres un goût salé. Lorsqu'elle rentra, deux heures plus tard, sa décision était prise : elle allait répondre au message. Après tout, que risquait-elle ? Bien sûr, il pouvait s'agir d'un détraqué, et entrer dans son jeu n'était pas prudent. Mais elle n'y croyait pas, l'écriture était trop belle… et sa curiosité trop forte !

Sur la table de la cuisine, elle multiplia les tentatives de réponse, froissant les feuilles de son bloc l'une après l'autre. Finalement, elle se contenta d'écrire : « *Qui cherchez-vous donc ? Faites-vous connaître si vous avez des questions à poser.* » Satisfaite, elle prit deux pinces à linge repérées dans un tiroir et alla jusqu'au fond du jardin pour accrocher sa feuille à une branche du pommier.

Elle passa tout l'après-midi à Honfleur, comme elle se l'était promis. Dans l'une des petites rues situées derrière le vieux bassin, elle entra d'abord dans une boutique à l'enseigne du Bateau Bouteille, dont l'intérieur ressemblait à la caverne d'Ali Baba. On y trouvait une foule d'objets en cuivre, tous consacrés à la mer et aux navires. Elle y était déjà venue avec Laurent, deux ans auparavant, lors d'une escapade en amoureux. Il lui avait acheté une longue-vue et une lampe tempête qui trônaient dans leur appartement parisien, insolites et inutiles, mais chargées d'un bon souvenir. Chaque fois qu'elle les dépoussiérait, elle songeait à une maison bien à eux, un bébé... Laurent, lui, pensait plutôt à des vacances, des voyages. Il refusait de s'engager, s'accrochant à sa jeunesse qui pourtant s'éloignait inexorablement.

Après une visite à l'église Sainte-Catherine, elle fit une incursion dans une galerie d'art, puis s'offrit une tasse de chocolat dans l'un des bistrots qui bordaient les quais du vieux bassin. En semaine et hors saison, il y avait peu de touristes, et Sabine adorait l'impression d'avoir la ville rien que pour elle.

La nuit tombait lorsqu'elle engagea sa voiture sur le chemin conduisant à la maison. Elle était en train de se demander si l'inconnu attendrait l'obscurité complète pour venir chercher sa réponse lorsqu'elle le découvrit, près du grand pommier, la main tendue vers la feuille de papier.

3

Après avoir coupé son moteur, Sabine resta quelques instants indécise. Devait-elle descendre de voiture pour aborder l'inconnu ? Ils étaient seuls tous les deux dans cette campagne déserte, n'importe quoi pouvait arriver. Comme il s'était tourné vers elle, surpris, elle prit le temps de le dévisager à travers le pare-brise. Elle reconnut les grands yeux très sombres qui l'avaient tant effrayée derrière les carreaux, mais le visage était avenant, et le petit sourire navré qu'il lui adressait acheva de la rassurer.

— Vous ne trouverez pas les réponses que vous cherchez dans mon message, dit-elle en ouvrant sa portière. Je loue la maison pour quelques jours et je ne connais pas son histoire.

Il fit deux pas vers elle, s'arrêta.

— Je suis navré de vous avoir fait peur hier soir. Je croyais être discret, c'était stupide de ma part.

— Pourquoi vous cacher ? Vous auriez pu frapper.

— Pas avant de savoir à qui j'avais affaire. Je ne suis pas le bienvenu ici.

Sabine estima qu'il devait avoir une quarantaine d'années, peut-être davantage. Grand et athlétique, il avait la peau très mate d'un métis.

— Je m'appelle Jag Rohan, dit-il en lui tendant la main.

— Jag ? Un prénom de quelle origine ?

— L'Inde. Je suis né à Jaipur, dans le Rajasthan.

— Oh… Le pays des maharajas ?

Il se mit à rire et hocha la tête.

— Oui, bien sûr. Je sais que ça fait rêver ! Mais j'ai quitté l'Inde quand j'avais dix ans, et depuis je vis en France, dont j'ai la nationalité.

Ensuite il se tut, conservant un petit sourire en coin. Sabine s'aperçut qu'elle ne s'était pas présentée, ce qu'elle fit, puis elle lui proposa un café.

— Là ? demanda-t-il avec un geste vers la maison.

De nouveau, Sabine eut la sensation d'être imprudente en invitant cet étranger à entrer, cependant elle était très intriguée et mourait d'envie d'en apprendre davantage. Tandis qu'il semblait hésiter, apparemment réticent, la pluie se mit à tomber.

— Écoutez, dit-il très vite, je voulais juste savoir si vous connaissez les gens qui habitaient ici dans les années quatre-vingt-dix. Mais comme vous n'êtes que de passage…

— La propriétaire doit être la même, elle m'a dit qu'il s'agissait d'une maison de famille, devenue trop grande pour elle.

— Alors c'est toujours elle ! Ne lui parlez pas de moi, elle vous dirait des horreurs.

Le ton de sa voix était devenu plus sec et son expression affable avait disparu. De grosses gouttes s'écrasaient à présent autour d'eux.

— Je file, décida-t-il. J'ai laissé mon vélo contre la haie et je vais me faire tremper.

Sabine hocha la tête, vaguement déçue. Jag commença à s'éloigner mais il se retourna, vit qu'elle n'avait pas bougé et eut un large sourire.

— Je prends tous les matins mon petit déjeuner à la pâtisserie Charlotte Corday de Trouville. Pourrai-je vous offrir le vôtre demain ? Leurs viennoiseries sont à tomber ! Si le cœur vous en dit, j'y serai à neuf heures.

Faisant volte-face, il se mit à courir sous la pluie battante, laissant Sabine déconcertée. Elle se réfugia dans sa voiture qu'elle conduisit le plus près possible de la maison. Une fois à l'abri, elle se débarrassa de son ciré et de ses bottes puis mit la bouilloire en route pour se préparer du thé. Quelle rencontre étrange ! Même si elle ne savait quasiment rien de lui, Jag Rohan lui était sympathique. Le geste fataliste et méfiant qu'il avait eu pour désigner la maison ainsi que son évidente aversion pour la propriétaire aiguisaient la curiosité de Sabine.

Alors qu'elle versait l'eau dans la théière, son portable sonna, affichant le numéro de Laurent. Tiens donc, il l'appelait ! Il avait pourtant menacé de ne lui donner aucune nouvelle puisqu'elle voulait « être tranquille pour réfléchir ».

— Je n'ai pas résisté longtemps, comme tu le constates sans doute avec, j'imagine, un petit sourire de triomphe, commença-t-il d'un ton grincheux.

— Bonjour aussi, répondit-elle aimablement.

— Quel temps as-tu ? Ça me donnera une indication sur l'endroit où tu te terres.

— Je suis en Normandie, sous la pluie.

— Pareil à Paris. Tu aurais pu choisir une destination plus ensoleillée.

— J'adore ce coin. Et nous y avons de bons souvenirs.

— Je croyais que tu ne voulais plus te souvenir de moi.

— Ce n'est pas exactement ce que j'ai dit.

Laurent resta silencieux quelques instants avant d'enchaîner :

— Bon, quand rentres-tu ?

— Pourquoi ? Je te manque ?

— Oui, et tu le sais. Arrête de bouder et reviens. Tu n'es pas une fille capricieuse, quelle mouche t'a donc piquée ?

— Celle de la sagesse. Je te l'ai expliqué, Laurent. Nous sommes comme deux oiseaux sur la branche, nous n'allons nulle part. Les années passent, et pour moi il est temps de construire.

— Encore les grands mots !

— Organiser son avenir me semble raisonnable. Mais tu ne veux pas l'entendre…

— Et toi, tu veux t'embourgeoiser, railla Laurent.

Elle étouffa un soupir, devinant que cette énième discussion n'arrangerait rien, pourtant elle ajouta :

— Fonder une famille et avoir un toit au-dessus de sa tête est une ambition universelle, non ?

Dès qu'elle insistait, il se dérobait, ce qu'il ne manqua pas de faire une fois de plus.

— Si tu rentres ce soir, je t'invite à dîner dans le restaurant de ton choix, même un étoilé !

Il avait utilisé sa voix douce de séducteur pour la convaincre de ne pas rester loin de lui. Craignait-il les conclusions qu'elle pourrait tirer d'une longue réflexion solitaire ?

— Je vais m'attarder un peu, déclara-t-elle.

— Ah, que tu es pénible !

Vexé de ne pas avoir obtenu ce qu'il voulait, il coupa la communication. Sabine resta songeuse quelques instants. Avait-elle raison de s'obstiner ? Si Laurent n'était pas prêt à s'engager, à quoi bon le harceler ? Peut-être feraient-ils mieux de suivre leur route chacun de son côté, mais cette perspective la déchirait.

*

Le lendemain matin, Sabine arriva la première à la pâtisserie Charlotte Corday. Le temps était atroce, le vent rabattait des bourrasques de pluie sur les quais du port. Dans la petite boutique, il n'y avait que peu de tables et Sabine choisit de s'asseoir près de la vitre. Elle commanda d'emblée un chocolat chaud accompagné d'une brioche et d'un pain au lait. Après son petit déjeuner avec le mystérieux Jag Rohan, elle se promit de faire un tour au marché aux poissons et de musarder sous la halle. Même hors saison, Trouville restait un endroit animé où il devait faire bon vivre.

Elle le vit arriver de loin, sa casquette et son blouson luisants de pluie. Amusée, elle se demanda jusqu'où elle devait remonter pour trouver le souvenir d'un rendez-vous avec un inconnu.

— Je vous ai fait attendre ? dit-il en prenant place face à elle.

— Non, j'étais en avance. Mais j'ai commandé, je n'ai pas résisté.

— Merci d'être venue. Chaque séjour ici me rend tellement nostalgique…

Il tourna la tête vers les quais de la Touques, puis son regard erra en direction du casino.

— J'adorais la promenade Savignac, ajouta-t-il à mi-voix.

— Les planches ?

— Moins connues que celles de Deauville, et un peu plus tranquilles. À une époque, je les arpentais chaque matin à l'aube.

Reportant son attention sur elle, il eut un petit sourire désarmant.

— Voulez-vous que je vous raconte ?

— Il me semble que nous sommes là pour ça.

— Oui, j'ai dû éveiller votre curiosité, alors que je ne voulais pas me faire voir.

— Vous m'avez surtout fait peur, et maintenant j'aimerais comprendre.

— D'accord. Eh bien... La personne qui vous loue la maison, Emma Lambert, n'est pas quelqu'un de bien. Du moins ne l'a-t-elle pas été avec moi.

Il hésitait, choisissant soigneusement ses mots.

— Avec le recul, je pourrais même dire qu'elle a gâché ma vie. Vous ne savez peut-être pas qu'elle a une fille. Une fille unique, Laetitia.

Dans les trois syllabes du prénom, il avait mis une intonation particulière, pleine de douceur et de tristesse.

— Vous le devinez, c'est de Laetitia que j'espérais avoir des nouvelles. Ou, mieux encore, peut-être même l'apercevoir. Rien qu'une fois. Je tente toujours ma chance quand je reviens ici. Et je suis aussi obstiné que ridicule, parce que ça fait plus de vingt ans !

Devenu amer, il s'interrompit, puis il acheva, dans un souffle :

— Emma détestait tous les étrangers.

4

L'averse ayant cessé, Sabine et Jag avaient quitté la pâtisserie pour marcher le long des quais. Un vent fort charriait des nuages menaçants au-dessus de la mer, et la température avait brusquement chuté. Silencieux, les mains enfouies dans les poches de son blouson, Jag semblait honteux de s'être confié à une étrangère. Au bout de quelques minutes, il marmonna :

— Je n'aurais pas dû vous ennuyer avec mes histoires. Ça ne vous concerne pas puisque vous ne connaissez pas la famille Lambert. J'espère que vous profiterez bien de vos vacances et, soyez tranquille, je ne reviendrai pas vous épier.

En s'arrêtant, il désigna l'hôtel Central, de l'autre côté du boulevard.

— Je suis descendu là, j'y ai mes habitudes.

Alors qu'il enlevait sa casquette et lui tendait la main, une bourrasque décoiffa ses cheveux très noirs, le faisant cligner des yeux.

— Au revoir, Sabine.

— Laissez-moi votre numéro de portable, suggéra-t-elle. Si j'apprends quelque chose…

Elle l'avait proposé sur une impulsion, émue par son récit. Elle le vit sourire, se fouiller fébrilement et extirper de sa poche une petite carte qu'il lui donna avec reconnaissance. Tout en s'éloignant, elle y jeta un coup d'œil et fut surprise de constater qu'il s'agissait du *docteur* Jag Rohan, domicilié à Paris.

Perdue dans ses pensées, elle musarda un long moment devant les étals de poissons. À en croire cet homme étrange, on pouvait donc passer la moitié de sa vie à regretter un amour perdu ? La passion qui l'avait consumé dans sa jeunesse n'était pas éteinte, Laetitia Lambert restait pour lui la femme unique qu'on lui avait en quelque sorte volée, par bêtise ou par méchanceté. Il avait utilisé des mots pudiques pour raconter, mais l'amertume l'avait parfois fait bredouiller.

Vingt ans plus tôt, Emma Lambert, propriétaire de la maison que louait Sabine, s'était montrée odieuse envers lui. Or Jag et Laetitia étaient tombés éperdument amoureux alors qu'ils n'avaient que seize ans et qu'ils fréquentaient tous deux le lycée Marie-Joseph de Trouville. Leur bac obtenu, ils s'étaient inscrits ensemble en faculté à Caen car, même s'ils ne visaient pas les mêmes métiers, ils n'imaginaient pas s'éloigner l'un de l'autre. Les ennuis avaient commencé lorsque Laetitia, jusque-là réticente, s'était décidée à présenter Jag à sa mère. Dès lors, celle-ci n'avait eu de cesse de séparer les amoureux. Ce n'était pas en raison de leur âge ou de leurs études mais à cause des cheveux et des yeux trop noirs de Jag, de son teint cuivré. L'Inde ne faisait pas rêver Emma, elle n'avait vu dans le jeune homme qu'un métis aux origines troubles. Lui, au contraire, avec la fougue et la naïveté de la jeunesse, avait cru la séduire en racontant son pays. Les défilés d'éléphants richement parés à

Jaipur, les saris multicolores aux drapés uniques, les palais et les temples emplis de merveilles, les danses rituelles et les arts martiaux du Pendjab, il avait décrit par le menu tout ce qui avait ébloui son enfance. Sur sa lancée, il avait aussi expliqué fièrement que Jag signifiait l'univers, et Rohan le croissant. Mais Emma était restée indifférente à ce qu'elle tenait pour un fatras folklorique. Alors il avait évoqué son père, un magistrat brahmane et donc de caste supérieure, hélas mort prématurément, ce qui expliquait son retour en France avec sa mère, qui était née au Havre et voulait retrouver son pays. Enfin, sa pire erreur avait été d'affirmer qu'il emmènerait un jour Laetitia découvrir les trésors de l'Inde, dont il avait la nostalgie. Emma, imperturbable, ne souhaitait pas pour sa fille un étranger issu d'un monde si différent. Elle aspirait au gendre idéal, un Français bien sous tous rapports qui n'entraînerait pas Laetitia à des milliers de kilomètres et qui, surtout, ne risquerait pas de lui faire des bébés trop typés. Bien décidée à séparer les amoureux de gré ou de force, elle avait inventé un stratagème pervers. N'hésitant pas à dépenser toutes ses économies, elle avait proposé à sa fille de partir aux États-Unis pour y faire ses études. Elle savait pertinemment qu'avant de rencontrer Jag Laetitia avait longtemps rêvé des campus américains. Habilement, elle lui avait fait miroiter la possibilité de s'installer là-bas, le temps d'obtenir un beau diplôme qui lui ouvrirait toutes les portes à son retour en France. Consciente de l'effort financier fourni par sa mère, Laetitia avait fini par accepter cette offre somme toute irrésistible pour une jeune fille de vingt ans. Et Emma avait ainsi gagné son pari de séparer les amoureux.

Entre les jeunes gens, au milieu des larmes, mille promesses avaient été échangées avant le départ. S'écrire, s'appeler et, bien sûr, s'attendre. Mais à l'époque il n'y avait que peu de téléphones portables, et les communications à l'étranger coûtaient très cher. Sans négliger ses études, Jag avait consacré la moindre heure de liberté à travailler, multipliant les petits jobs pour s'offrir le voyage. Sa mère à lui n'étant pas riche, il devait aussi penser à l'aider matériellement. Plusieurs mois s'étaient écoulés, et les courriers de Laetitia s'étaient soudain espacés. Jag se rongeait les sangs, écrivait lettre sur lettre, mais au bout d'un moment Laetitia n'avait plus répondu. Et, juste avant l'été, il avait reçu d'elle un petit mot assez froid expliquant qu'elle ne comptait pas revenir pour les vacances car elle avait d'autres projets, entre autres une excursion dans le Montana avec des copains. En *post-scriptum*, elle précisait qu'elle avait déménagé, mais sans donner sa nouvelle adresse.

Jag avait eu l'impression de devenir fou. Il était allé voir Emma pour en savoir davantage et, surtout, pour comprendre. Méprisante, elle était restée dans le vague, alors il était revenu plusieurs fois sonner chez elle, plein d'espoir. À la fin, elle lui avait carrément interdit de franchir le portail.

Arrivé au bout de ses confidences, Jag avait conclu qu'il n'avait jamais revu Laetitia, jamais su ce qu'elle était devenue. L'histoire avait bouleversé Sabine. Suffisait-il d'un éloignement pour que des sentiments brûlants s'éteignent ? Une séparation, même momentanée, pouvait-elle tout remettre en question ? Et quelle confiance accorder aux serments d'amour éternel ? Tout en regagnant sa voiture, elle essaya d'imaginer Jag avec vingt ans de moins, face à une ravissante jeune fille blonde, telle qu'il avait décrit Laetitia.

De retour dans la maison, comme le mauvais temps persistait, elle décida de refaire une flambée. Laurent ne l'avait pas rappelée depuis leur pénible conversation de la veille et elle était bien obligée d'admettre qu'il lui manquait énormément. Même si elle n'avait pas songé à lui durant la matinée, captivée par le récit de Jag, à présent il revenait au cœur de ses pensées. Tous deux avaient eu la chance de n'être contrariés par personne, leurs familles respectives s'étant montrées d'emblée très accueillantes. À l'inverse, Emma Lambert était intervenue dans la vie de sa fille, modifiant ainsi son destin. De quel droit ?

Lovée dans le vieux fauteuil au cuir râpé, Sabine se perdit dans la contemplation du feu. Au-dehors, le vent soufflait de plus en plus fort et faisait grincer les huisseries. Pourquoi Laurent ne voulait-il pas d'enfants, alors qu'il les adorait ? Il avait des neveux, avec lesquels il jouait volontiers et qu'il emmenait parfois au zoo ou au cirque. Cependant, quand Sabine abordait la question, il continuait de se dérober. Pour elle, le moment était venu, elle souhaitait fonder une famille sans plus attendre. Cette divergence finirait-elle par détruire leur couple ? Sabine ne voulait pas revenir sans cesse à la charge pour finalement *imposer* son choix. Un bébé devait être désiré par ses deux parents, or, si Laurent n'était pas prêt… Mais le serait-il jamais ?

Malgré le vent, elle perçut un bruit de moteur et se précipita à la fenêtre. L'espace d'un instant, elle avait eu l'espoir que ce soit Laurent, ce qui était stupide puisqu'il ignorait où elle se trouvait. Voyant sa logeuse, Emma Lambert, descendre de voiture et courir jusqu'à la porte, elle alla lui ouvrir.

— Je pensais bien vous trouver ici, avec ce temps affreux personne n'a envie de se promener !

Emma repoussa la capuche de son ciré avant de tendre un petit panier à Sabine.

— Pour vous. Des œufs du jour, et une crème fraîche comme vous n'en avez jamais goûté. Je m'approvisionne chez un fermier, pas dans le commerce.

— Oh, c'est très gentil…

— Ne me remerciez pas, j'apporte aussi une mauvaise nouvelle. Il y aura une coupure d'électricité ce soir, EDF m'a envoyé un courrier à ce sujet. Plus de courant à partir de dix-huit heures et jusqu'à demain midi. Je suis venue vous montrer où je range les bougies, ainsi qu'une torche et des piles. Pour le chauffage, continuez donc à entretenir le feu. J'ai vu la cheminée fumer sur le toit en arrivant.

Sabine la suivit jusqu'au salon, où Emma lui désigna le secrétaire en bois de rose.

— Les réserves sont là. Mais à l'étage vous trouverez aussi un chandelier avec des bougies et des allumettes dans la chambre en face de la vôtre. C'était la mienne à l'époque, et on subissait déjà des coupures ! Quand ma fille était jeune, ça lui faisait peur.

— Vous avez une fille ? enchaîna aussitôt Sabine, saisissant l'occasion d'évoquer Laetitia.

— Oui, et aussi des petits-enfants. Malheureusement, ils vivent à New York.

— Quel dommage d'avoir sa famille au loin !

— D'autant plus que c'est ma fille unique. Je m'offre le voyage tous les deux ans, et elle vient parfois passer les fêtes de Noël en France avec les petits. Si les billets d'avion ne coûtaient pas si cher... Seulement Laetitia – c'est son prénom – adore New York, où elle a eu la chance de faire ses études.

— Vraiment ?

— Un gros effort financier là aussi.

Durant quelques instants, Emma Lambert sembla perdue dans ses souvenirs.

— Mais tout a un prix, n'est-ce pas ? conclut-elle. Ma fille a une belle situation là-bas, une bonne vie, et surtout je lui ai évité une énorme bêtise de jeunesse !

Pour ne pas poser de questions trop directes, Sabine se contenta de demander :

— Et votre gendre ? Un Américain, je suppose...

— Oui, répondit laconiquement Emma, dont le visage s'était fermé. Maintenant, je file. Pensez à mettre la crème au frais !

À sa façon brusque de mettre un terme à la conversation et de s'éclipser, Sabine comprit qu'elle avait touché un point sensible.

5

En prévision de la coupure de courant, Sabine décida d'installer dans sa propre chambre le chandelier dont sa logeuse lui avait parlé. Lors de la visite initiale de la maison, elle n'avait jeté qu'un coup d'œil distrait à la deuxième chambre, qu'elle ne comptait pas occuper, et elle y pénétra avec curiosité.

Comme prévu, elle trouva sur une commode des bougies, une boîte d'allumettes et un bougeoir en argent tout noirci. Cette fois, elle fit lentement le tour de la pièce. Un grand pêle-mêle, accroché au-dessus du lit, retint son attention. Sur l'une des photos, Emma Lambert, beaucoup plus jeune, tenait une ravissante enfant par la main. Sur une autre, Laetitia devenue adolescente riait aux éclats, ses boucles blondes sagement retenues par un ruban. Quelques années plus tard, elle était toujours aussi jolie et souriante, manifestement épanouie. Emma n'étant ni belle ni avenante, comment avait-elle pu engendrer une si rayonnante jeune femme ? Mais les clichés du bas, sans doute les plus récents, racontaient une tout autre histoire. Laetitia en robe de mariée, au bras d'un grand garçon athlétique, affichait un sourire artificiel et crispé ; Laetitia sur la terrasse d'un appartement, avec des gratte-ciel derrière elle et un regard mélancolique ; Laetitia les traits tirés, avec un bébé dans les bras ; Laetitia à côté de son mari qui semblait avoir pris trente kilos et dont le front se dégarnissait. Enfin, une photo de famille où deux enfants jouaient devant une Laetitia très amaigrie tandis que le mari était devenu obèse.

Sabine s'assit sur le lit et repassa les clichés en revue. Si Jag avait bien vieilli, apparemment il n'en allait pas de même pour l'époux américain. Quant à Laetitia, toute sa gaieté de jeune fille l'avait quittée. Emma pouvait-elle vraiment se féliciter d'avoir séparé les amoureux lorsqu'ils avaient vingt ans ?

Elle alla installer le chandelier dans sa chambre et redescendit. Alors qu'elle atteignait la dernière marche, les lumières s'éteignirent avec un claquement sec. Dans la pénombre du crépuscule, Sabine alluma des bougies et entreprit de ranimer le feu. La soirée menaçait d'être longue et, pour éviter d'avoir un dîner froid, elle décida d'emballer des pommes de terre dans du papier alu avant de les glisser sous les braises. Une fois cuites, elle pourrait les déguster avec la crème fraîche vantée par Emma.

Elle s'installa dans le vieux fauteuil confortable et s'absorba dans la contemplation des flammes. Que faisait-elle ici, loin de Laurent, à s'occuper d'une histoire qui n'était pas la sienne ? Qu'était-elle venue chercher dans ce bocage normand ? Seul l'homme de sa vie détenait les réponses dont dépendrait leur avenir commun... ou pas. Une soudaine bouffée d'angoisse lui fit sortir son téléphone de la poche de son jean, et elle fut soulagée de constater que la batterie était chargée aux deux tiers. Elle mourait d'envie d'appeler Laurent, sans savoir quoi lui dire mais au moins pour entendre sa voix. Navrée de cet instant de faiblesse, elle sélectionna pourtant son numéro.

— Eh bien, tu en auras mis, du temps ! s'exclamat-il en répondant avant la fin de la première sonnerie.

— Tu t'es montré désagréable la dernière fois, rappela-t-elle. Tu m'as jugée « pénible » et tu as raccroché.

— D'accord, je m'excuse.

Il capitulait, d'une voix beaucoup plus tendre, sans doute heureux de l'entendre.

— Où en es-tu de ta méditation, chérie ?

— Je n'arrive pas à réfléchir car il se passe bien trop de choses ici.

— Quoi donc ?

— Eh bien là, par exemple, je m'éclaire à la bougie faute de courant. Et ce matin, j'ai pris mon petit déjeuner avec un Indien.

— Un Indien ? On tourne un western en Normandie ?

— Ne sois pas stupide. En fait, il s'agit d'un homme originaire de Jaipur. Un médecin.

— Avec lequel tu *déjeunes* ? Est-ce que tu inventes ça pour me rendre jaloux ?

— Bien sûr que non. Il s'appelle Jag, ce qui signifie l'univers. Et son histoire est émouvante, je te la raconterai.

Un long silence fut la seule réponse de Laurent.

— Tu es toujours là ?

— Sabine…, soupira-t-il. Qu'est-ce qui t'arrive ?

— Rien ! Je me suis trouvée mêlée à tout ça par hasard.

— Mais qui est ce type ?

— Un homme très malheureux parce qu'il n'a pas eu le destin qu'il voulait.

— Et comment l'as-tu rencontré ?

— En fait, il errait sous mes fenêtres la première nuit, et après…

— Tu es folle, ma parole !

À présent, Laurent était en colère, et Sabine réalisa qu'elle n'aurait pas dû l'appeler ni le mettre dans la confidence.

— Je viens te rejoindre, décida-t-il.

— Non, pas maintenant. De toute façon, tu ne sais pas où je suis.

— Crois-tu ? Tu as fait tes recherches de location sur mon ordinateur, ma chérie ! Grâce à ton mail à la propriétaire, j'ai l'adresse de la petite maison à colombages qui t'a séduite. Je n'ai pas débarqué par surprise pour te laisser bouder en paix, mais ce que tu me racontes est dément.

— Je ne boude pas, s'insurgea-t-elle, je suis venue faire le point sur notre avenir, sur ma vie, sur nous deux !

— Vraiment ? Remettrais-tu notre couple en question, Sabine ?

— Je m'interroge.

— D'après ce que tu me racontes, tu t'offres une récréation qui n'a rien à voir avec nous. Amuse-toi bien !

Une fois encore, ce fut lui qui coupa la communication. Est-ce que tous leurs échanges allaient finir de cette manière, désormais ? Laurent préférait la querelle pour mieux fuir une explication qui risquait d'être décisive. Mais Sabine était bien consciente de s'être montrée maladroite. Surtout concernant son improbable rencontre avec Jag Rohan. Et d'ailleurs, qu'est-ce qui l'intéressait tant dans cette histoire ? Établissait-elle un parallèle entre sa propre crainte de passer à côté du bonheur et la manière dont Jag avait laissé le sien lui échapper ?

Elle quitta son fauteuil, rajouta une bûche à la flambée et vérifia la cuisson des pommes de terre avec la pointe d'un couteau. Ses déplacements faisaient vaciller la lumière des bougies et créaient des ombres mouvantes dans la pièce. La présence de Laurent aurait été bienvenue, hélas leur malentendu creusait un fossé de plus en plus profond entre eux. Parviendraient-ils à le combler ou resteraient-ils chacun de son côté sans jamais se rejoindre ?

Debout devant la cheminée, Sabine frissonna malgré la chaleur du feu. Puis ses pensées la ramenèrent inexorablement vers les photos du pêle-mêle. Qu'est-ce qui avait éteint la joie dans le regard de la ravissante Laetitia et fait disparaître son sourire ? Et avant cela, qu'est-ce qui l'avait poussée à ne plus répondre aux lettres désespérées de son grand amour ? Elle qui avait été une jeune fille radieuse était manifestement devenue une femme triste et résignée. Quand on se trompait de route, le regrettait-on toute sa vie ?

« Je ne veux pas que ça m'arrive ! » songea-t-elle avec désespoir.

6

Afin de ne plus être obnubilée par la mystérieuse histoire de Laetitia et Jag, Sabine s'était échappée de la petite maison à colombages et elle était retournée à Honfleur, bien décidée à s'offrir une après-midi de shopping. Dans les rues proches du vieux bassin, elle avait longtemps musardé, craquant pour des abat-jour aux dessins extraordinaires repérés chez un brocanteur, puis pour un authentique pull marin à la laine rugueuse. Ensuite, malgré la bruine persistante, elle avait flâné dans le quartier Sainte-Catherine, grimpant les rues escarpées, et elle avait réussi à franchir la porte du musée Eugène-Boudin juste avant la dernière entrée.

Lorsqu'elle rentra enfin, la nuit tombait. Désormais habituée au rituel de la flambée du soir, elle prépara un feu. Le mois d'octobre se terminait, toujours aussi froid et pluvieux, propice à la méditation ou à la lecture. Comme Sabine redoutait aussi de se mettre à penser à Laurent, à leur désaccord, à ce qui semblait les séparer aujourd'hui alors qu'ils s'aimaient profondément, elle monta chercher un livre dans sa chambre. Elle en profita pour rapporter le chandelier dans l'autre chambre, celle d'Emma Lambert à l'époque. Et, bien sûr, elle ne put s'empêcher de jeter un nouveau coup d'œil aux photos du pêle-mêle.

Le courant étant rétabli après la coupure de la veille, la pièce était bien éclairée par deux appliques et Sabine remarqua qu'un bout de ruban bleu dépassait de la table de nuit. Pour le remettre en place, elle entrouvrit machinalement le tiroir, mais elle suspendit son geste. Bien en évidence – d'ailleurs, le meuble ne possédait pas de serrure –, il y avait une petite pile de lettres dépliées. Sabine hésita, ne se sentant pas le droit de les regarder, cependant elle était dévorée de curiosité. Si Emma n'avait pas cherché à mieux dissimuler ce courrier, il ne devait pas être compromettant. Et, d'après la date inscrite en haut, il remontait à 1995. Contenait-il une quelconque explication au brusque revirement de Laetitia ?

Se reprochant de le faire mais incapable de s'en empêcher, Sabine se pencha pour mieux voir. Ainsi qu'elle le pressentait, la première feuille commençait par « *Chère maman* ». Elle referma le tiroir, puis le rouvrit. Pourquoi Emma n'avait-elle pas emporté ces lettres avec elle ? Elle louait sa maison depuis plusieurs années à des touristes de passage, ayant préféré s'installer en ville pour ses vieux jours, dans un petit appartement confortable et mieux chauffé. Quand Laetitia venait en France avec ses enfants, séjournait-elle ici ? Était-ce à son intention qu'Emma gardait les lettres expédiées d'Amérique vingt ans plus tôt ? Mais n'importe quel locataire pouvait aussi les voir et les lire puisqu'elles étaient abandonnées là...

Sabine s'agenouilla devant la table de nuit et, sans toucher à rien, parcourut la feuille du dessus. « *Chère maman, tout va bien pour moi, mes notes sont en progression et je me suis fait beaucoup d'amis ces derniers temps car j'étais trop malheureuse pour rester seule à pleurer dans mon coin. Mais j'ai toujours du mal à digérer ce que tu m'as appris. Est-ce que tous les garçons sont d'une telle inconstance ? Penser qu'il ne lui a fallu que quelques mois pour me remplacer ! Ses sentiments ne devaient pas être si profonds qu'il le prétendait, pourtant j'y avais cru, et je me sens profondément blessée. D'autant plus qu'il se montre malhonnête en ne me parlant de rien dans ses lettres. Au contraire, il me fait...* »

Arrivée au bas de la page, l'envie de connaître la suite fut plus forte que tous les scrupules de Sabine et elle tourna la feuille.

« *... des déclarations d'amour éternel à chaque ligne. Quel hypocrite ! Pourtant, je voudrais être sûre, absolument certaine qu'il ne s'agit pas d'un malentendu. Aurais-tu pu te tromper ? Mal interpréter ce que tu as vu ? J'ai tant de peine qu'il m'arrive*

de reprendre espoir malgré l'évidence ! S'il te plaît,
maman, renseigne-toi à nouveau et écris-moi vite.
Je t'embrasse, Laetitia. »

Sabine se releva, bouleversée. C'était donc ça ? Après avoir expédié sa fille de l'autre côté de l'Atlantique, Emma avait dû inventer quelque chose au sujet de Jag pour que Laetitia s'en détourne définitivement. Mais quoi ? Une petite copine imaginaire ? De fausses fiançailles ? En le faisant, elle courait le risque que sa fille saute dans le premier avion pour venir s'expliquer avec l'homme qu'elle aimait. Sauf si elle avait misé sur l'orgueil de la jeune fille, et sur l'impossibilité pour elle d'interrompre brutalement des études qui coûtaient si cher à sa mère. Un plan machiavélique et méchant qui avait très bien fonctionné.

Pauvre Jag ! Depuis vingt ans, il revenait régulièrement errer autour de la maison, cherchant l'explication de son malheur. Faute de comprendre, jamais il ne s'était guéri de sa passion pour Laetitia et il était toujours hanté par son souvenir.

— Emma Lambert, vous êtes un monstre ! lâcha Sabine à voix haute.

Cette femme avait délibérément modifié le sort de deux êtres qui s'aimaient, brouillant les cartes de leur avenir avec ses mensonges. Oui, forcément des mensonges, car le récit de Jag était criant de vérité et de désespoir. Aujourd'hui, plus rien n'était réparable pour les deux anciens amoureux qui avaient été des jeunes gens heureux et confiants. Chacun de son côté avait suivi une route différente alors qu'ils étaient faits pour emprunter la même, main dans la main. Il n'existait aucune morale à cette triste histoire, hormis, peut-être, la punition qu'Emma s'était infligée à elle-même. Parce que, au bout du compte, si sa fille n'avait pas suivi Jag en Inde, elle vivait néanmoins à des milliers de kilomètres. Et lorsqu'on regardait les photos de la femme qu'elle était devenue, on constatait qu'à l'évidence elle n'avait pas trouvé le bonheur. S'était-elle jetée à la tête du premier Américain venu et mariée par dépit ? Deux enfants étaient nés, scellant son destin. Et sans doute avait-elle longtemps pensé avec amertume à ce qu'elle croyait être la trahison de Jag.

Sabine repoussa violemment le tiroir. Elle n'avait pas besoin de lire la suite, elle avait compris. De lettre en lettre, Emma avait dû s'acharner à détruire tout espoir, jusqu'à ce que Laetitia n'écrive plus à Jag et ne lui donne même pas son adresse. Lui était bloqué en France, l'argent qu'il gagnait en accumulant les petits boulots lui servant à aider financièrement sa mère, pas à s'offrir des billets d'avion. Et dire qu'il avait réussi à finir ses études de médecine dans ces conditions…

Sabine quitta la chambre, claqua la porte et dévala l'escalier. Une question la taraudait : Jag avait-il droit à la vérité ? Une révélation trop tardive, inutile, peut-être dévastatrice. Mais qui mettrait un terme aux pèlerinages qu'il s'infligeait obstinément. Que faire ?

Elle se prépara un plateau, la tête pleine de pensées contradictoires, puis elle s'installa devant la cheminée. Jusque-là, cette histoire d'amour contrariée entre un bel Indien et une jeune fille blonde l'avait fait rêver, mais à présent elle se sentait révoltée. L'esprit étriqué d'Emma Lambert et sa stupide défiance devant un garçon au teint trop cuivré étaient méprisables. Dans son sac, Sabine avait conservé la carte de Jag, elle avait la possibilité de l'appeler. Était-il encore à Trouville ? Combien de temps duraient ses séjours dans la région ? En repartait-il chaque fois la mort dans l'âme ? Et comment réagirait-il en apprenant que Laetitia venait parfois, elle aussi…

Une tonitruante sonnerie de téléphone la fit sursauter.

— Bon sang, il faut que je change de mélodie ! maugréa-t-elle en extirpant le portable de sa poche.

— Coucou, chérie ! claironna Laurent. Toujours dans ta petite retraite du bocage ?

— Oui, et toujours sous la pluie.

— Ici aussi. Quand vas-tu te décider à revenir ? Tu gâches tes jours de congé alors que nous pourrions être ensemble.

Elle laissa passer un petit silence avant de répliquer :

— Je ne sais pas quoi te répondre puisque, de toute façon, tu finiras par me raccrocher au nez.

— Moi ?

— Qui d'autre ? Au lieu de m'écouter, tu te mets systématiquement en colère.

— Quand tu me racontes qu'un type rôde sous tes fenêtres et que, plutôt qu'appeler les gendarmes, tu prends ton petit déjeuner avec lui, je n'ai pas envie d'en entendre davantage.

— Dommage, tu rates une histoire pleine de rebondissements !

— Sabine, soupira-t-il, je te rappelle que tu es partie pour réfléchir en paix. Du moins, c'est ce que tu as prétendu…

— Je le fais.

— Tu en trouves le temps, au milieu de toutes tes folles aventures ?

— Absolument. D'ailleurs, l'exemple des autres est parfois très instructif.

— Je me fous des autres ! explosa-t-il. Je veux que tu reviennes.

— Et ce que je veux, *moi*, ça compte aussi ?

— Euh… Oui, bien sûr.

Il semblait soudain désemparé, et sa voix ne contenait plus aucune trace d'ironie.

— Je rentrerai bientôt, promit-elle. Mais j'ai encore une chose importante à faire ici.

Pour une fois, ce fut elle qui mit fin à la communication. Elle ne voulait plus parler avec Laurent par téléphone, maintenant elle avait besoin d'être en face de lui pour régler leur problème. L'éloignement ne valait finalement rien à personne, une véritable explication ne pouvait avoir lieu que les yeux dans les yeux. Cependant, avant son départ, elle essaierait de rencontrer Jag. S'il était encore à Trouville, elle était décidée à lui offrir la vérité.

7

Un soleil très inattendu réchauffait l'atmosphère frileuse du 1ᵉʳ novembre. Tournée vers la fenêtre, Sabine buvait son café en observant le paysage qui s'étendait au-delà des pommiers, avec des vaches dans le lointain et un ruisseau qui scintillait quelque part. Elle se sentait apaisée malgré l'étrangeté de son séjour sur la Côte de Grâce. Paradoxalement, à travers une histoire qui ne la concernait pas mais qui lui avait été imposée, elle avait beaucoup appris sur elle-même.

Son sac de voyage était bouclé, elle avait rendez-vous en début d'après-midi avec sa logeuse pour l'état des lieux. Revoir Emma Lambert lui déplaisait, maintenant qu'elle savait de quoi cette femme avait été capable, néanmoins elle devait mettre un terme correct à sa location. D'ici là, elle avait une mission à remplir. Elle prit sa voiture pour gagner Trouville par la route de la corniche, d'où on apercevait la mer en contrebas. Une fois garée sur le parking du casino, elle longea le boulevard Fernand-Moureaux, qui borde la Touques, passa devant le marché aux poissons, puis traversa pour gagner l'hôtel Central. À la réception, elle demanda si par hasard le docteur Jag Rohan était encore là. On lui répondit avec amabilité qu'il avait demandé sa note, rendu son vélo, et qu'il devait rentrer à Paris le jour même. Il était un client fidèle ayant ici ses habitudes, et apparemment le personnel l'appréciait beaucoup. Soulagée de constater qu'il ne lui avait pas menti sur ce point, ni sans doute sur tout le reste, Sabine se fit annoncer par l'hôtesse en précisant qu'elle attendrait au bar.

Elle eut à peine le temps de commander un expresso avant l'arrivée de Jag. Il la rejoignit en affichant un air étonné mais ravi. En le revoyant, Sabine fut confortée dans sa certitude d'avoir affaire à un homme sincère, ouvert et bien élevé. Emma s'était tellement trompée sur son compte avec ses odieux préjugés !

— Je ne pensais pas avoir le plaisir d'une nouvelle rencontre, dit-il en souriant.

Il parut sur le point d'ajouter quelque chose – sans doute la question qu'il brûlait de poser –, pourtant il s'en abstint et patienta.

— Un peu par hasard, commença-t-elle d'un ton prudent, et aussi un peu parce que je cherchais des réponses à vos questions, j'ai finalement appris ce que vous vouliez savoir.

Le sourire de Jag s'effaça aussitôt. Penché vers elle, il la scruta de ses grands yeux si sombres.

— Vraiment ? bredouilla-t-il.

— Je pense que vous avez été trahi par Emma Lambert qui, en effet, ne vous aime pas du tout. C'est un euphémisme ! J'ai trouvé des lettres de Laetitia, écrites à l'époque où elle suivait ses études en Amérique. Sa mère avait réussi à la persuader que vous l'aviez remplacée par une autre fille peu de temps après son départ. D'après ce que j'ai lu, elle en a été bouleversée et s'est sentie trahie. Voilà pourquoi elle n'a plus voulu vous écrire.

Figé, Jag paraissait abasourdi. Il eut besoin de quelques instants pour se reprendre.

— Comment a-t-elle pu croire…, articula-t-il avant de s'interrompre.

— Elle avait confiance en sa mère, elle était loin, et peut-être avait-elle trop d'orgueil pour vous demander directement des comptes.

— Si seulement elle l'avait fait !

De nouveau, il resta silencieux un moment. Se remémorait-il tous les souvenirs attachés à sa jeunesse et à cette injuste rupture ?

— Qu'est-elle devenue ? réussit-il à demander d'une voix blanche.

— D'après ce que j'ai vu sur des photos, elle est mariée, elle a deux enfants.

— Ah…

Une ultime déception, qui lui fit accuser le coup.

— En ce qui me concerne, je n'ai jamais pu m'y résoudre, murmura-t-il. Mais si elle est heureuse, c'est bien.

Sabine n'eut pas envie d'en dire davantage, persuadée qu'il valait mieux garder pour elle son impression d'une Laetitia devenue triste avec les années. Elle s'écarta du comptoir, signifiant ainsi qu'elle mettait un terme à leur entrevue, et Jag la raccompagna jusqu'à la porte. Ils sortirent ensemble sur le trottoir, devant l'hôtel, et se dirent adieu car ils étaient certains de ne jamais se revoir.

— Merci d'avoir pris la peine de venir me parler. Vous transformez ma vie, ou ce qu'il en reste. On s'embrasse ?

Il lui déposa un timide baiser sur la joue, puis lui mit une main sur l'épaule, en signe de gratitude, et son geste émut Sabine.

— Une dernière chose, dit-elle d'une traite, Laetitia vient parfois passer les fêtes de Noël ici.

Soudainement, elle fut tirée en arrière, un bras enroulé autour de la taille.

— Est-ce que je dérange ? gronda Laurent en la lâchant.

Stupéfaite, Sabine se tourna vers lui tandis que Jag faisait un pas en avant, comme pour la protéger. Les deux hommes échangèrent un regard hostile mais elle se glissa entre eux.

— Jag, voici Laurent, qui est l'homme de ma vie. Laurent, je te présente Jag Rohan.

— Je remerciais Sabine pour le grand service qu'elle m'a rendu. Maintenant, je vous laisse.

Il rentra dans l'hôtel, les laissant face à face. Laurent portait sa combinaison de motard, et il avait dû ôter son casque si vite qu'il était tout ébouriffé.

— Désolé pour la surprise ratée ! maugréa-t-il. Te voir dans les bras de ce type, alors que je m'étais arrêté ici pour consulter le GPS de mon téléphone… Vous êtes donc devenus de grands amis ?

— Pas exactement. C'est une longue histoire.

— J'espère que tu n'es pas impliquée ?

— Non, je n'en fais pas partie. Disons que j'ai pu aider à écrire l'épilogue.

— Eh bien, tu vas me raconter ça !

Il la dévisagea, ébaucha enfin un petit sourire.

— Tu es une drôle de femme, Sabine. Tu m'as laissé mariner sans pitié.

— J'avais besoin d'y voir clair.

— D'accord, mais tu ne peux pas me juger sans m'accorder un droit de réponse. Écoute, je t'avais promis un restaurant, non ?

— Il devait même être étoilé !

— Seulement si tu rentrais. Là, c'est moi qui suis venu, or la route est longue à moto. En conséquence, tu n'auras que des moules-frites.

Il savait qu'elle adorait ça, surtout ici, face au port de pêche.

— Et pendant le déjeuner, je vais te faire part de mes réflexions, parce que figure-toi que moi aussi, j'ai médité sur notre sort. Mais avant tout…

Avec tendresse, il la prit par le cou pour l'attirer à lui.

— Tu m'as beaucoup manqué, Sabine, lui chuchota-t-il à l'oreille. Sans toi je n'arrive à rien. Rassure-moi tout de suite, tu ne veux pas me quitter, n'est-ce pas ?

— Non !

La protestation lui avait échappé comme un cri du cœur. Se séparer de Laurent était la dernière chose qu'elle souhaitait, malgré tout. Elle se laissa entraîner jusqu'à une terrasse chauffée où il y avait déjà beaucoup de monde. Installés à une petite table d'angle, une fois qu'ils eurent passé la commande, Laurent prit une grande inspiration et se lança.

— Pour me changer les idées, j'ai emmené mes neveux voir le dernier Disney au cinéma.

Si Sabine avait cru qu'il allait dire quelque chose d'important, elle fut déçue par ce préambule.

— La salle était pleine. Tu penses, un week-end de Toussaint, il faut occuper les enfants ! Bref, au milieu de toutes ces familles plutôt joyeuses, je me suis dit que... Eh bien, que ce ne serait pas si terrible, enfin, pas si effrayant de...

Il baissa un peu la fermeture Éclair de sa combinaison, se passa nerveusement la main dans les cheveux, puis secoua la tête en signe d'impuissance.

— Je n'y arrive pas, avoua-t-il. J'avais préparé un petit discours romantique destiné à te faire craquer, mais je ne me souviens de rien. Voilà.

— Voilà quoi ? demanda-t-elle sans pouvoir retenir un large sourire. Est-ce que ça signifie que tu en veux un ?

— Ben... J'y pense ! Un enfant de nous... Il est temps, non ?

Elle tendit la main, la posa sur celle de Laurent.

— Tu es sérieux ? Ne m'annonce pas ça pour me faire plaisir.

Durant deux ou trois secondes, il la considéra d'un air grave, mais son regard était limpide.

— Ce sera un bonheur partagé, Sabine. J'en suis absolument certain.

Sa déclaration était le plus beau des cadeaux, celui qu'elle n'attendait pas.

LE BUVEUR DE VENT

Pour écrire à propos des chevaux, nul besoin d'ima-
gination car je n'ai qu'à puiser dans d'innombrables
souvenirs. Comme Hautain, *l'histoire de Taïtapi est*
véridique. Et peut-être qu'à quarante-cinq ans de dis-
tance l'un, toujours heureux dans son pré, doit fina-
lement la vie à l'autre.

Il s'appelait Taïtapi, c'était un alezan magnifique,
un vrai buveur de vent. Sur la toile de fond de ma
mémoire, parmi tous les chevaux qui ont laissé leur
trace, celui-ci galope encore sans toucher terre, dans
son temps de suspension.

J'avais quinze ans et je faisais l'école buissonnière,
séchant les cours du lycée au profit des pistes d'entraînement. Le premier métro, le premier train pour
Maisons-Laffitte, puis la longue traversée solitaire du
parc dans la nuit car il fallait arriver à l'écurie juste
avant le lever du jour.

Ah, ces aubes exaltantes que j'ai vécues ! Leur
souvenir est incroyablement vif, avec leurs couleurs,
leurs bruits et leurs odeurs. Un éclairage un peu chiche

baignait la cour d'une lueur jaune que le petit matin délayait. Les portes des boxes étaient ouvertes, chaque apprenti sellait son cheval. On entendait des sabots nerveux gratter la paille jusqu'à racler le ciment. L'acier des mors tintait, un lad jurait, une jument en chaleur renâclait. L'atmosphère d'une écurie de courses ne ressemble pas à celle d'un club hippique. Le pur-sang est traité comme un seigneur, du moins tant qu'il est susceptible de gagner de l'argent. L'ordre et la propreté sont de rigueur autour de lui, sa santé est étroitement surveillée, son entraînement est contrôlé et minuté comme celui d'un grand sportif. Il voyage dans un camion pullman, protégé de la tête à la queue. Tous les soins qu'on lui dispense pourraient presque faire croire qu'on l'aime, mais, bien sûr, il n'en est rien, il faut seulement qu'il gagne. Sinon…

À quinze ans, ces notions de gain m'échappaient totalement. J'avais la chance inouïe d'être *admise* dans la prestigieuse écurie Noël Pelat. Je montais bien à cheval, j'étais plutôt téméraire, je pouvais donc *rendre service*. C'était très inhabituel, à l'époque il n'y avait que deux ou trois femmes sur les pistes de Maisons-Laffitte, et elles appartenaient au milieu hippique. Je me sentais un peu comme un ovni dans ce monde professionnel, essentiellement masculin et assez misogyne. Mais enfin, on pouvait me confier un cheval, je tenais dessus, et pendant ce temps-là son lad faisait autre chose. Je représentais une sorte de main-d'œuvre bénévole et je me suis vite fondue dans le paysage en portant les mêmes casquettes – le casque ne fut imposé que plus tard –, les mêmes blousons et les mêmes *breeches*. J'ignorais les quolibets les jours de chute, j'appris même à apostropher ceux qui rentraient à pied, leur cravache fouettant l'air rageusement.

Au début, pour me tester, j'eus droit au « hack », un paisible cheval à la retraite qui sert à calmer le groupe. Ayant fait mes preuves, on me confia d'abord les moins bouillants des pensionnaires de l'écurie, puis n'importe lequel d'entre eux. Sur le tableau où étaient inscrits les noms des lads, apprentis jockeys ou jockeys vedettes de la maison, l'entraîneur utilisait des étiquettes pour répartir les montures chaque matin. Les étiquettes accrochées face à une case blanche m'étaient destinées. Je me souviens parmi bien d'autres de la belle Riska, de Perle des Prés, que j'adorais, de Polixo, qui venait de gagner un tiercé à Auteuil. Et un jour, il y eut Taïtapi.

J'avais déjà dû l'apercevoir au milieu de ce premier lot qui sortait à l'aube, mais j'étais toujours assez concentrée sur le cheval que je montais, désireuse de bien faire, et je ne regardais pas beaucoup les autres. De toute façon, ils étaient tous beaux comme seuls les pur-sang peuvent l'être, mais lui, il ressemblait à une gravure et il était sublime. Petite tête intelligente aux naseaux bien ouverts, rein court, membres fins soulignés de quatre balzanes semblables à de hautes chaussettes blanches, robe d'or liquide, croupe ronde, crinière soyeuse. Et puis ce nom, Taïtapi, qui sonnait comme un cri de ralliement ! Jamais, ni avant ni depuis, je n'ai éprouvé autant de fierté que sur ce cheval.

Pour comble, il était doué, il venait de remporter une course assez importante et son entraîneur l'« affûtait » pour la suivante. On me faisait donc un grand honneur en me le confiant. J'avais monté jusque-là de nombreux canters ou demi-train, mais mon premier travail sur Taïtapi fut un botte-à-botte en train de course. Cet exercice au nom imagé consiste à entrer au pas perpendiculairement à la piste l'un derrière l'autre (en général trois ou quatre cavaliers) puis à mettre en même temps les chevaux face à la longue allée de deux mille cinq cents mètres et démarrer bien serrés les uns contre les autres pour que se produise l'émulation, l'envie de dépasser son voisin. Les premières foulées évoquent le démarrage d'un dragster ! Les sabots martèlent, la terre gicle, les étriers s'entrechoquent, puis soudain le rythme change, le cheval paraît s'abaisser, sa foulée s'allonge et la véritable lutte s'engage.

Au passage devant l'entraîneur – qui regardait approcher ses chevaux avec des jumelles pour noter le moindre détail –, Taïtapi avait déjà une encolure d'avance et, au bout de la piste, il s'était carrément détaché de ses rivaux. Nous n'étions qu'à l'entraînement, mais ce matin-là j'ai eu l'impression de gagner le prix du Jockey Club…

Quelques jours plus tard, après avoir couru l'épreuve pour laquelle il était préparé, il a eu un problème de tendon. On appelle ça la « banane », entre le sabot et le genou, l'arrière de l'antérieur semble arqué. Taïtapi a donc reçu le traitement habituel, des pointes de feu, des emplâtres, et il est parti se reposer tout l'hiver dans un haras de Normandie.

Quand il est revenu à l'écurie, il avait bien profité de son séjour au pré ! Empâté par l'herbe grasse des pâturages, il avait au moins cinquante kilos à perdre pour retrouver la forme d'un cheval de course. Dans ce but, il fut mis sérieusement au travail, et son destin se joua durant les semaines suivantes. Le faire galoper vite ou longtemps le faisait certes maigrir, mais son tendon recommençait à fléchir. Des exercices moins intenses permettaient au tendon de se rétablir, mais il restait trop gros, trop lourd. Issu d'une lignée prestigieuse de cracks, pour son malheur, il était castré et n'avait pas la possibilité de poursuivre sa carrière en tant qu'étalon. Assez vite, car la pension d'un cheval de course coûte une fortune, son sort fut scellé.

Dans ces années-là, l'équitation était un sport moins démocratisé qu'aujourd'hui et il y avait peu de clubs hippiques. En particulier à Maisons-Laffitte, où la quasi-totalité des écuries entraînaient des pur-sang destinés aux courses du PMU. La reconversion de Taïtapi n'aurait été envisageable qu'en se creusant la tête et en prenant son temps, ce qui était évidemment hors de question. Sans états d'âme, son propriétaire fit le choix de s'en débarrasser en l'envoyant à l'abattoir.

Comment exprimer ce que j'ai ressenti devant son box vide quand les lads m'ont appris, d'un ton assez indifférent, ce qu'il était advenu du sublime alezan ? Comment, à quinze ans, pouvais-je accepter l'idée qu'après l'avoir *tué* on allait le *manger* ? Cette histoire m'a marquée bien plus qu'un accident – et j'en ai subi quelques-uns, comme n'importe quel cavalier. Taïtapi était un très beau, vraiment très beau cheval. Plus rare encore, pour un pur-sang à l'entraînement, il était gentil, facile à monter, et il avait du cœur. Mais tout cela n'a pas suffi à lui éviter une fin aussi cruelle. Dans ma candeur de gamine, ce jour-là j'en ai voulu à tout le monde, abasourdie de découvrir la dureté d'un milieu régi par le profit. Mais je n'étais pas chez les

Bisounours, pas non plus dans un poney club, il n'y avait pas de place pour les sentiments, pour une sensiblerie *superflue*. Et, hélas, on voyait encore, à l'époque, nombre de boucheries chevalines et d'amateurs de cette viande.

Pendant deux ou trois ans, j'ai continué à monter des chevaux de course. Je n'avais pas le pouvoir de changer la moindre chose à ce monde-là mais je ne me résignais pas à abandonner ces vertiges de l'aube. Un vrai galop sur le sable des pistes ou sur l'herbe d'un hippodrome au petit matin est quelque chose d'unique. La sensation de vitesse et de puissance ne peut être comparée à rien d'autre. Couchée sur l'encolure, accompagnant la foulée, avec le vent qui sifflait aux oreilles et couvrait le martèlement des sabots, j'ai vécu des instants de grâce qui justifient l'expression « hors du temps ».

Puis je suis allée vers d'autres horizons équestres, où le cheval n'était pas uniquement destiné à rapporter de l'argent, où il était considéré comme un animal domestique, et parfois comme un ami.

Je ne savais pas que Taïtapi était demeuré un souvenir aussi vivace, et qu'à l'évoquer je le reverrais avec autant d'acuité. Il est dans mon panthéon des chevaux. C'est lui qui m'a obligée à accepter le monde tel qu'il est et non pas tel que j'aurais voulu qu'il soit. Sans doute m'a-t-il fait mûrir et a-t-il développé mon respect pour les animaux. Et sans doute est-ce grâce à lui que, par la suite, tout au long de ma vie, quand j'ai eu la responsabilité d'un cheval ou d'un chien, jamais je ne l'ai laissé au bord de la route quoi qu'il ait pu m'en coûter.

MANS SOLITAIRE

Le bruit est très excitant, familier, assourdissant. Il lui procure des frissons de plaisir. D'une angoisse diffuse aussi, et ça, c'est bien la première fois.

Jean-François est déjà venu au Mans à plusieurs reprises, en simple spectateur, perdu dans la foule immense. Ici, l'ambiance est celle d'une gigantesque kermesse, avec les rugissements de fauves des moteurs poussés à l'extrême, les haut-parleurs qui déversent des flots d'informations, les musiques qui se mélangent. Difficile d'approcher vraiment de la piste, il y a trop de monde partout, on voit les bolides de loin, et avant de les voir, on les entend. Dans les lignes droites, on parvient à peine à les suivre du regard, il faudrait pouvoir se placer aux endroits où les voitures sont obligées de ralentir, par exemple à Indianapolis ou Arnage, ou encore à proximité d'une des deux chicanes des Hunaudières, mais on ne peut pas y accéder. Reste le virage Ford, avant la ligne droite des stands, où les tribunes sont toujours pleines. Le tour est long, plus de treize kilomètres, et il est avalé en trois minutes et demie. Ces dernières années, c'est Audi qui a battu tous les records avec une moyenne à plus de 230 km/h.

Audi : désormais une légende au Mans, mais qui est absente cette année. Néanmoins sur ce circuit, et pour la plus célèbre course automobile du monde, il n'y a *que* des légendes. Les meilleurs pilotes aux commandes des voitures les plus rapides, durant vingt-quatre heures de pure folie. Ils sont trois à se partager un volant, roulant jour et nuit. La vitesse, tout le temps, et l'endurance au fil des tours. Encaisser les vibrations, négocier les virages, doubler un à un les concurrents, se moquer de la nuit, de la pluie… Et identifier en un clin d'œil les drapeaux : jaune fixe, c'est l'interdiction de dépasser ; jaune agité signale un grave danger ; jaune à bandes rouges verticales indique que de l'huile est répandue sur la piste.

Jean-François donnerait n'importe quoi pour être à la place d'un des pilotes, ne serait-ce que quelques minutes, ou même une seule. Cette année, l'envie est d'autant plus forte qu'il a le privilège d'être dans l'un des stands. Par l'ami d'un ami, il a obtenu son accréditation auprès d'une écurie qui n'est ni la plus célèbre ni la meilleure, mais il est enfin au cœur de l'action, parmi les professionnels. Il se fait minuscule dans son coin, où il essaie de tout voir et entendre pour ne pas perdre une miette de la compétition. Transporté par l'effervescence qui règne au sein des stands, il n'a pas pensé à Clémence et à leur nouveau-né, Guillaume, depuis un long moment. Il s'en fait le reproche une seconde, mais aussitôt après il est de nouveau happé par la course.

Clémence et lui, c'est une belle histoire. D'amour, évidemment, mais aussi de complicité. Leur passion des voitures les a fait se rencontrer et les a rapprochés. Clémence chouchoutait sa Lotus hors d'âge tandis qu'il bichonnait sa Porsche vintage. Ils participaient alors à des rallyes touristiques de voitures anciennes. Et rêvaient l'un comme l'autre de s'inscrire un jour au départ du Mans Classic. Un rêve hors de portée car il aurait fallu avoir une licence internationale de compétition et… un gros budget.

La Lotus Élan de Clémence avait d'abord appartenu à son père. Celui-ci l'avait longtemps laissée sous une bâche, dans la grange attenante à sa maison des environs de Rouen, sans jamais vouloir s'en séparer. Lors des beaux week-ends de printemps, il ouvrait grandes les portes, ôtait la bâche et mettait le moteur en marche pour le plaisir de l'écouter. Enfant, Clémence s'était entichée de cette voiture et avait pris l'habitude de s'asseoir derrière le volant. Elle s'imaginait la conduisant, alors que la voiture était sur cales. À l'adolescence, elle avait voulu que son père soulève le capot pour lui expliquer en détail le moteur. Puis elle avait bricolé avec lui des dimanches entiers. Comme il avait été mécanicien dans un grand garage, il pouvait tout lui apprendre. Ensemble, ils avaient retapé la Lotus jusqu'à parvenir à la faire rouler de nouveau. Et, un matin, ils étaient enfin partis sur les routes de campagne. Pour le père de Clémence, qui aurait tant voulu un garçon mais n'avait eu qu'une fille, quel surprenant cadeau du ciel que cette gamine passionnée de bielles et de culasses ! Tout naturellement, lorsqu'elle avait obtenu son permis, il lui avait offert la Lotus.

Elle tenait par-dessus tout à ce cabriolet, le même que celui des vieux épisodes de *Chapeau melon et bottes de cuir*. Un modèle qui n'avait été fabriqué que pendant une dizaine d'années, de 1962 à 1973 ; celui de Clémence, qui datait de 1964, avait donc plus de cinquante ans. Il en fallait, de l'expérience et de l'habileté, pour le maintenir en bon état de marche !

La Porsche de Jean-François était moins âgée, puisqu'elle avait été mise en circulation en 1984. Une belle 911 Carrera bleu nuit qui tournait comme une horloge et qu'il avait acquise avec ses premiers salaires. Durant quelques années, consacrer une partie de son argent à sa voiture ne l'avait pas gêné car il gagnait bien sa vie dans la banque où il travaillait. Mais en prenant la décision d'épouser Clémence pour fonder sa famille, il avait compris que sa passion de l'automobile devrait passer au second plan.

Au début de leur mariage, rien ou presque n'avait changé. Ils poursuivaient leurs rallyes touristiques avec courses d'orientation et parcours nocturnes. Ils se faisaient plaisir, partageaient l'aventure et conservaient une belle dose d'insouciance. Un an plus tôt, ils avaient même caressé le projet de s'engager dans le Tour Auto des voitures anciennes. Et puis Clémence, un soir, avait annoncé à Jean-François la merveilleuse nouvelle : elle attendait un bébé.

Fous de joie tous les deux, ils avaient alors envisagé l'avenir sous un autre angle. Dans leur appartement de la banlieue parisienne, il fallait transformer la pièce qui servait de bureau en chambre d'enfant. Et acheter le matériel nécessaire, du berceau au couffin, de la table à langer au chauffe-biberon, de la poussette au siège-auto. Côté dépenses, en jeunes parents responsables, ils avaient décidé de limiter les futilités, et même de songer à un plan d'épargne pour assurer l'avenir.

Que devenaient la Lotus et la Porsche dans ce nouveau programme ? Allaient-elles passer du statut de voitures bichonnées à celui de tas de ferraille dispendieux ? Ils pouvaient les vendre, bien sûr, et ainsi économiser la location des deux boxes fermés où elles étaient à l'abri, mais pour l'un comme pour l'autre c'était un crève-cœur en raison de tous les souvenirs qui s'y attachaient. Finalement, ils avaient décidé de reconduire la Lotus à la campagne, dans la grange du père de Clémence où elle avait connu sa renaissance. Une fois là-bas, elle ne coûterait plus rien, continuerait à prendre de la valeur, comme toute voiture ancienne, et serait sous bonne garde.

Pour la Porsche, il en allait autrement. Jean-François ne voulait pas abuser de l'hospitalité de son beau-père, et d'ailleurs la grange n'était pas extensible, déjà encombrée d'outils de jardin et de vieux meubles. Par ailleurs, il souhaitait conserver la possibilité d'une balade avec Clémence, voire d'un petit rallye touristique paisible quand le bébé aurait quelques mois et qu'ils pourraient soit l'emmener, soit le confier. Mais, pour l'heure, Clémence était accaparée par son nouveau-né. En apprenant que Jean-François avait la chance inouïe d'aller au Mans et de suivre la course dans un stand, elle l'avait poussé à accepter, ravie pour lui, sans manifester la moindre frustration. Avait-elle tout oublié de leurs rêves passés, entièrement tendue vers ce petit être qui était le fruit de leur amour et qu'elle venait de mettre au monde ? Lorsqu'on endossait le rôle de parent, reniait-on ses passions, renonçait-on à soi-même pour devenir quelqu'un d'autre ? Le sens du devoir annihilait-il tous les désirs de sa propre enfance ?

Jean-François refusait d'être un père immature ou un mari égoïste, mais il se sentait tiraillé entre passé et avenir. Son excitation, ici, au Mans, au bord du circuit mythique, était celle d'un enfant, ce qui le culpabilisait vaguement. Néanmoins il savourait son plaisir.

À présent, la nuit est tombée et les bolides tournent toujours, phares allumés. De loin, ceux-ci forment des croix lumineuses qui foncent vers les tribunes, jaunes pour les grand tourisme, blanches pour les proto-types. On différencie aisément les deux catégories à leurs silhouettes. Les GT ressemblent à la rigueur à des voitures de sport, mais les protos, plus rapides, s'apparentent davantage à la F1, voire à la science-fiction. Jean-François n'a pas sommeil. Chaque fois qu'un engourdissement l'envahit, il se passe quelque chose sur le stand. Un changement de pilote ou de pneumatiques, un ravitaillement, et le redémarrage en trombe du bolide. Chaque seconde perdue semble compter alors qu'il reste des heures et des heures de course. Autour de lui, les membres de l'écurie ont les yeux rivés sur les écrans de contrôle tandis que leurs traits tirés commencent à accuser la fatigue. Dans son coin, Jean-François se récite le classement provisoire, qui se modifie au fil des tours entre les abandons, les accrochages et les ennuis mécaniques.

De temps en temps, il envoie un SMS à Clémence pour essayer de lui faire partager les moments qu'il vit, mais c'est illusoire, il le sait. Le bébé, qui ne fait pas encore ses nuits, va la réveiller plusieurs fois. Il boit lentement ses biberons, tarde à faire son rot, et parfois c'est pour régurgiter avant de se remettre à crier parce qu'il a faim. Les premières semaines ont été épuisantes. Ils ne sont pas trop de deux pour s'occuper du nouveau-né à tour de rôle, mais ce soir Clémence est seule. À quoi pense-t-elle quand leur petit Guillaume dort enfin, quand elle a cessé de le nourrir, le changer, le bercer, l'embrasser ? À son mari qui s'amuse loin d'elle ? À la chance qu'il a et qu'elle n'aura sans doute jamais ? S'il lui avait laissé sa place, aurait-elle pris autant de plaisir que lui ? Peut-être davantage, qui sait ? Mais elle ne voulait pas quitter Guillaume, elle ne s'est pas sacrifiée, elle est heureuse dans son rôle de jeune maman.

Il est brutalement tiré de ses pensées car on annonce un accident au Tertre rouge. Une bouffée d'angoisse serre la gorge de Jean-François. Comme la plupart des passionnés, il a tout lu et tout visionné sur les 24 Heures du Mans, il sait que jusqu'à ce jour vingt-trois pilotes ont trouvé la mort durant cette course. Prendre le volant ici, c'est forcément risquer sa vie. Qui aura le malheur d'être le numéro 24, chiffre sinistrement symbolique ? Est-ce ce danger présent à chaque instant qui attire les deux cent mille spectateurs ? Leur admiration est-elle à l'aune du défi que se lancent des hommes prêts à tout pour gagner ?

Quand l'aube se lève, Jean-François titube de fatigue. Il a parlé avec les mécaniciens du stand, échangé trois mots avec les pilotes harassés. Mais il sent qu'il n'est pas à sa place sur ce stand où il ne sert à rien, il est juste un admirateur enchanté et éberlué qui n'a pas de rôle défini. Impossible de passer de l'autre côté du miroir, il n'est pas des leurs, il n'est pas un « pro » et ne le deviendra jamais.

Toutes les trois minutes et demie environ, les voitures les plus rapides repassent devant les tribunes. La lutte fait toujours rage entre les favoris alors qu'il reste dix heures de course et que n'importe quoi peut arriver. Taraudé par la faim et la soif, Jean-François décide d'aller se restaurer. En s'éloignant de la piste, l'intensité du bruit décroît, on change d'univers. Il déambule un moment pour se dégourdir les jambes et s'éclaircir les idées. Le soleil commence à chauffer, il fera beau ce dimanche.

Devant la buvette où il a commandé du café et un sandwich, il s'entend interpeller par des voix joyeuses. Des amis l'ont reconnu et le rejoignent, réjouis et excités car ils viennent d'arriver. On lui demande des nouvelles de Clémence et du bébé, puis, apprenant qu'il est sur le circuit depuis la veille, un résumé de tout ce qui s'est produit. Jean-François s'exécute, étonné de se souvenir d'autant de détails. Il parle volontiers, sourit, explique, mais son enthousiasme s'émousse, retombe. Finalement, il invoque un vague prétexte et s'éloigne.

Alors qu'il traverse la foule en direction des stands, soudain Clémence lui manque de manière aiguë. Il a l'impression de recevoir un uppercut, il en a presque le souffle coupé, éprouvant le besoin impérieux d'avoir sa femme à ses côtés. Depuis le premier jour de leur rencontre, ils se sentent si proches et solidaires, si attentifs l'un à l'autre, si amoureux ! Pour la naissance de Guillaume, Jean-François aurait voulu pouvoir prendre sa part de la douleur de Clémence, justement parce qu'ils ont l'habitude de tout partager. Ici, à cet instant précis, c'est à elle seule qu'il a envie de tout raconter. Il sort son téléphone de sa poche, hésite. Tombera-t-il au bon moment ? Et puis, va-t-il l'intéresser avec le récit d'événements auxquels elle n'assiste pas ? Sont-ils encore complices ?

Dans le creux de sa main, le téléphone se met à vibrer, comme si un insecte y était prisonnier. Baissant les yeux sur l'écran, il voit que l'appel provient de Clémence et son cœur s'emballe.

— Ma chérie ! Comment vas-tu ? Et notre bébé ?

Il pose une rafale de questions à toute allure, il en bafouille. Alors il perçoit le rire cristallin de sa femme. Elle lui dit quelque chose qu'il ne comprend pas et il se bouche une oreille pour mieux entendre.

— Je parie que tu n'as pas dormi du tout, s'amuse-t-elle. Ah, je t'envie, si tu savais ! Prends des photos, des notes, je veux tout savoir à ton retour. Porsche est toujours en tête ? Je suis avec Laetitia et on regarde Eurosport. On a vu de belles images de la course, mais ce n'est pas pareil. Tu as tant de chance d'être sur place ! Je te préviens, l'année prochaine ce sera mon tour.

— Évidemment ! lance-t-il avec empressement.

— Fais-moi écouter, d'accord ?

Il lève son téléphone au-dessus de sa tête, attend quelques secondes le passage des bolides.

— Génial ! Tu me feras une petite vidéo quand tu seras retourné dans le stand ? Et des selfies avec les pilotes, si tu peux ? On encadrera les meilleurs ! Bon, je te laisse à ton bonheur, je crois que bébé est en train de se réveiller.

Elle lui dit qu'elle l'aime, avant de couper la communication. Elle a été si gaie et si légère durant cet échange qu'il en reste bouleversé. Et voilà qu'il se sent délivré de la culpabilité diffuse qui l'empêchait de profiter pleinement des heures intenses qu'il vit. Avec sa générosité habituelle, Clémence l'a libéré.

Il court presque pour regagner le stand, bousculant des gens au passage, heureux comme un gosse. Et dire que durant cette longue nuit il a remué des idées noires, s'est vu comme un monstre d'égoïsme, a même pensé à vendre sa Porsche et à oublier pour de bon les voitures. Les oublier ? Clémence ne le lui pardonnerait pas !

Le bruit lancinant des bolides qui tournent le reprend aux tripes. Que s'est-il passé sur le circuit tandis qu'il errait loin du stand où il est admis ? La course ne s'achèvera que dans cinq heures, le plus excitant reste à venir.

OLYMPE ET TATAN

Comme chaque année, la famille se retrouvait au grand complet pour le réveillon de Noël chez Olympe, à Paris. En tant qu'aïeule, elle ne se déplaçait plus, on venait à elle. Sa fille Pauline, avec son mari et leurs trois grands enfants, ainsi que son fils Louis, avec sa nouvelle femme et leur bébé.

Olympe jugeait ridicule la fraîche paternité de Louis, qui avait fêté ses cinquante-cinq ans à l'automne. Et comme il avait eu deux filles d'un précédent mariage, aujourd'hui adultes, Olympe estimait de son devoir de les inviter aussi. Tout ce petit monde bravait les encombrements, les uns venant du fin fond de la Normandie, et les autres, plus chanceux, de Versailles ou de Pontoise. Seule Tatan, la sœur d'Olympe, se contentait de descendre un étage puisqu'elles habitaient le même immeuble.

Tatan ne s'était jamais mariée, elle vivait avec son teckel à poil dur, têtu et glouton, qui répondait – ou pas, d'ailleurs – au nom de Loustic. Conséquence de son statut de vieille fille, elle passait le plus clair de

127

son temps chez sa sœur qui la réclamait pour un oui pour un non.

Ce 24 décembre, dès le matin, Tatan s'était rivée aux fourneaux d'Olympe, chargée comme chaque année de cuisiner le menu du réveillon. Dans un ordre immuable depuis des lustres, la bisque de homard précédait la dinde aux marrons et la bûche glacée au café. Personne n'aimait vraiment ces mets, la dinde étant souvent trop sèche et la bûche trop sucrée, mais c'était la tradition, pas question d'en changer. Sans conviction, on félicitait Tatan qui n'avait donc rien d'un cordon-bleu.

Apporter des cadeaux était l'autre obligation de cette soirée. Les onze adultes offraient chacun un présent aux dix autres, plus un au bébé qui, lui, ne rendrait pas la politesse. Sous le sapin furent donc déposés ce soir-là cent vingt et un paquets. Après ouverture, ils allaient représenter un invraisemblable tas de papiers déchirés, rubans éparpillés, morceaux de scotch collant aux semelles. Selon la coutume, le salon prendrait alors l'aspect d'une foire à tout où les bibelots les plus affreux côtoieraient les gadgets les plus inutiles.

Le défi annuel semblait être à la fois de dépenser le moins d'argent possible et, sous couvert d'humour, de choisir n'importe quoi. Sans le soin apporté aux étiquettes désignant l'heureux bénéficiaire, on aurait pu croire que tout avait été mélangé par un lutin facétieux. Pauline, qui n'aimait que le noir, recevait toujours un vêtement bariolé. Louis, qui souhaitait désespérément faire jeune, obtenait souvent une sinistre cravate. À Olympe, qui possédait une collection de petits bronzes rares, revenaient de grotesques copies en résine, voire en plastique. Et ainsi de suite pour chaque

128

membre de la famille. La seule épargnée demeurait Tatan, trop naïve pour qu'on lui fasse une vacherie, et à qui les sempiternels torchons ne déplaisaient pas, même s'ils essuyaient mal. Nouveau venu, le bébé ne fut pas épargné non plus, avec des pyjamas de taille trois mois alors qu'il en avait déjà cinq.

Pris séparément, les membres de la famille étaient des gens normaux, mais l'obligation de se retrouver tous ensemble, heureusement limitée à cet unique dîner annuel, les rendait détestables. Car afin de rendre la corvée moins ingrate, chacun profitait de l'occasion pour régler des comptes personnels remontant à l'enfance.

— Que c'est joli…, déclara Olympe d'une voix sinistre mais sonore.

Elle tenait entre le pouce et l'index le dernier de ses cadeaux, une abominable grenouille en caoutchouc dur.

— Pour jouer dans le bain ? hasarda-t-elle avec un sourire cynique.

Nadia, la jeune épouse de Louis, se renfrogna, expliquant de mauvaise grâce qu'il s'agissait d'un décapsuleur « très pratique », et aussitôt Pauline hurla de rire. Bonne perdante, elle s'estima battue à plates coutures par sa belle-sœur dans la course au hideux.

Le salon étant dévasté, Tatan décréta qu'il était temps de passer à table.

— On pourrait ranger un peu…, proposa mollement Louis.

Mais comme personne n'esquissait le moindre geste, il fut le premier à suivre Olympe vers la salle à manger où flottait un fumet de poisson un peu trop prononcé.

— Quel âge avait donc ce homard ? marmonna le mari de Pauline.

Ayant l'ouïe fine malgré son âge, Olympe répliqua :

— L'âge d'être mis en coulis un soir de réveillon. Bon appétit à tous !

Ils attaquèrent la bisque en silence, occupés à fourbir leurs armes. Tatan lapait sa cuillère bruyamment, comme si elle se régalait, et Olympe choisit ce moment pour déclarer :

— J'attends toujours le 24 décembre avec impatience. Voir ma famille réunie est un plaisir que vous ne daignez m'offrir à aucun autre moment de l'année, soit dit en passant. Hélas, je ne rajeunis pas, et ce sera peut-être mon dernier Noël…

Au lieu des protestations escomptées, elle n'eut droit qu'à quelques hochements de tête qui la vexèrent.

— En conséquence, conclut-elle d'un ton aigre, j'espère que nous allons passer une bonne soirée et que, pour une fois, vous ne ressortirez pas vos vieilles histoires.

— Ce n'est jamais moi qui commence, fit remarquer Pauline.

— Moi non plus ! protesta Louis, se sentant visé.

— Toi, forcément… Quand on n'a pas de raison de se plaindre, on la boucle.

— Tu vas voir, elle va reparler de la voiture, prédit Louis à Nadia.

Pauline leva les yeux au ciel tandis que son mari répliquait à sa place :

— Certaines blessures de jeunesse ne s'oublient pas.

— Ça fait plus de trente-cinq ans, il y a prescription, non ?

Se tournant vers Nadia, Louis se lança dans une explication succincte.

— Maman m'a offert une petite Fiat quand j'ai eu mon bac. Je venais de passer le permis, or Pauline ne l'avait pas.

— À quoi bon ? On ne me promettait même pas un scooter ! Louis était le chouchou depuis sa naissance, le petit dernier, la huitième merveille du monde, le « mâle », à lui les joies de la route !

Avec Nadia, ils bénéficiaient d'un nouvel auditoire. La malheureuse jeune femme, qui ne connaissait pas encore toutes les anciennes querelles familiales, se trouvait ainsi prise à témoin et sommée d'avoir une opinion.

— Tu vas vouloir le défendre, déplora Pauline, mais il a dû oublier de te dire à quel point il était odieux quand il avait vingt ans. L'âge de son bac, car il n'était pas très en avance…

— La paille et la poutre ! Tu étais nulle en maths, à ne pas savoir additionner sept et deux. Mais papa avait toutes les indulgences pour sa fifille, il s'extasiait devant tes dissertations sans t'expliquer que la filière littéraire ne te mènerait nulle part.

— S'il vous plaît ! tonna Olympe en frappant du plat de la main sur la table.

Une fois le silence rétabli, elle fit remarquer aux filles de Louis qu'elles pourraient donner un coup de main à Tatan pour changer les assiettes. En traînant les pieds, elles suivirent leur grand-tante à la cuisine.

— Pourquoi t'en prends-tu aux miennes ? s'étonna Louis.

D'un index vengeur, il désigna les deux fils et la fille de Pauline.

— Il y aura un prochain tour, ne t'inquiète pas, ricana Olympe. Je ne sais pas comment vous avez élevé vos enfants, Pauline et toi, mais il faut toujours tout leur dire.

Venant d'elle, qui n'aurait jamais eu l'idée d'aider Tatan ou n'importe qui d'autre, la réflexion ne manquait pas de sel.

— J'espère que vous vous y prendrez différemment avec le bébé, ajouta-t-elle à l'adresse de Nadia.

Tatan revenait avec la dinde qu'elle posa au centre de la table. Olympe jeta un coup d'œil à la volaille, puis son regard se tourna vers le couffin, installé sur une chaise à l'écart. Durant quelques instants, elle contempla son dernier petit-fils.

— Pourquoi le laissez-vous là ? Nous faisons du bruit, il y en a qui vont fumer, ce n'est pas la place d'un bébé. De mon temps, les petits dormaient dans leur chambre. Ça doit vous paraître démodé, pourtant c'était plus sain ! Aujourd'hui, les enfants sont rois, on leur passe tout, on leur demande leur avis… Quel choc pour eux quand ils seront confrontés à un monde moins mou que celui de leurs parents en extase !

Elle éclata de rire, ravie de sa tirade.

— Tu n'étais pas très sévère, osa rappeler Tatan d'une voix fluette.

— Elle était surtout très absente, lâcha Pauline.

Olympe s'était en effet consacrée à mille autres activités que celle de mère. Ses enfants avaient été pour elle une sorte de distraction supplémentaire qui ne l'empêchait nullement de courir les cocktails et vernissages, courts de tennis et tournois de bridge, instituts de beauté ou même croisières au long cours. Lorsqu'elle se souvenait enfin qu'elle avait des enfants, elle affichait une préférence marquée pour le garçon, laissant à son mari le soin de chouchouter leur fille.

— Voilà, je l'avais bien dit ! s'exclama-t-elle.

Loustic, en bon teckel ingérable, venait de se dresser près du couffin pour renifler l'odeur du bébé, menaçant de faire basculer la chaise. Nadia se leva précipitamment, après avoir jeté un regard courroucé à Louis qui ne réagissait pas.

— Enlève tes pattes de là, sale bête…

— Ah, non ! protesta Tatan. Il est peut-être curieux, mais surtout très gentil.

— En tout cas, il a du flair, admit Nadia qui avait pris le bébé dans ses bras. Je dois le changer.

Elle quitta la salle à manger sous le regard soupçonneux d'Olympe.

— Elle ne fait pas ça ici, Dieu merci.

— Maman, arrête, grogna Louis.

— Eh bien, quoi ? Il faut s'attendre à tout avec cette génération.

Une façon de rappeler à son fils sa grande différence d'âge avec Nadia.

— Elle n'aime pas les chiens ? demanda Tatan.

— Elle n'en a jamais eu, elle ne sait pas ce que c'est.

— Dommage, elle se prive de grandes joies.

— Les joies de la maternité lui suffisent !

Comme toujours, les jeunes gens s'étaient mis à parler entre eux. Les deux grandes filles de Louis, celle de Pauline ainsi que ses deux fils n'étaient pas mécontents de se retrouver et s'apercevaient qu'ils auraient pu se voir dans l'année mais ne l'avaient pas fait. À l'instar de leurs parents respectifs, les cousins ne cultivaient pas l'esprit de famille. « Il faut absolument qu'on fasse des trucs ensemble ! » se juraient-ils chaque année, réitérant leur promesse au Noël suivant sans jamais la tenir, réfugiés derrière l'excuse d'un éloignement géographique.

Les cris du bébé précédèrent le retour de Nadia qui ne fit que traverser la salle à manger, annonçant qu'elle allait faire chauffer un biberon.

— Votre maison n'est toujours pas vendue ? demanda Louis au mari de Pauline.

— Rien ne se vend en ce moment...

— Il ne faut pas se montrer trop gourmand.

— Alors, quoi ? Perdre de l'argent ? ragea Pauline.

— C'est la crise, ma vieille ! Et puis vous avez eu une drôle d'idée d'aller acheter dans cette banlieue excentrée. Les gens en ont marre d'être tassés comme des Japonais dans le RER.

— *Excentrée ?* Tu peux parler, toi qui habites à perpète-les-foins !

— Rien à voir. Je suis en pleine campagne, à l'air pur, un environnement idéal pour la santé d'un enfant.

— Ridicule, trancha Olympe. Tu as élevé tes deux filles à Paris, et regarde comme elles sont en forme.

— À l'époque, il n'y avait pas autant de pollution.

— Elle a bon dos, la pollution. Je me porte très bien et je respire cet air depuis ma naissance.

Olympe bénéficiait en effet d'une santé de fer. Mais elle avait mené une existence oisive, sans stress ni fatigue, grâce à un *beau mariage*, ainsi qu'on qualifiait en son temps les unions lucratives. Elle était propriétaire de ce trop grand appartement où elle vivait seule depuis son veuvage et disposait de rentes qui lui permettaient quelques fantaisies. Pourtant, après le décès de son époux et malgré un héritage conséquent, elle était devenue économe et n'aidait plus ni ses enfants ni ses petits-enfants. Avec l'âge, la peur de manquer était son obsession. Les papiers peints avaient beau vieillir et les moquettes se râper, elle n'envisageait pas de les changer. Avoir recours à un plombier ou un électricien lui donnait des palpitations et, quand elle s'offrait un voyage, elle ne daignait pas inviter Tatan. « Tu ne peux pas laisser Loustic ! » affirmait-elle avec désinvolture, tout en se réjouissant à l'idée que sa sœur viendrait arroser les plantes vertes en son absence.

— De toute façon, si j'ai acheté à « perpète-les-foins », comme tu le dis avec mépris, ma pauvre Pauline, c'est que je n'avais pas un gros budget, moi ! Papa t'avait fait une donation alors que je n'ai rien eu.

— Tu seras dédommagé dans la succession, répliqua Pauline.

— Vous n'attendez pas ma mort, j'espère ? tonna Olympe. Je trouve votre conversation d'un incroyable mauvais goût, d'ailleurs, on ne parle pas d'argent à table. Reprenez plutôt de la dinde.

Elle désignait les restes de volaille autour desquels la sauce s'était figée. Personne ne fit mine de se resservir, et finalement Tatan se leva pour remporter le plat. Avant d'être rappelés à l'ordre, les fils de Pauline se mirent à débarrasser avec une maladresse délibérée.

— Attention à ma vaisselle, petites brutes ! les réprimanda Olympe.

Nadia en profita pour reprendre sa place, le bébé dans les bras. Il commença à téter son biberon avec d'affreux bruits de succion.

— J'aime bien ta jupe, dit Pauline à Nadia.

— Un peu courte pour toi, ma pauvre ! s'exclama Louis avant d'éclater de rire.

Le frère et la sœur échangèrent un regard assassin.

— Tu as toujours critiqué mes vêtements, même quand j'avais quinze ans. Mais quand je vois aujourd'hui de quelle manière tu t'habilles... Si c'est pour faire jeune, tu as seulement l'air d'un vieux beau.

— Elle a dit « beau », elle l'a dit ! ironisa Louis.

— C'est une expression toute faite, qui n'a vraiment rien de flatteur.

— Arrêtez de vous disputer, protesta Olympe. J'ai l'impression de revenir quarante ans en arrière.

— Et tu n'aimerais pas ? Allez, maman, avoue...

— Avouer quoi ? Que c'est triste de vieillir ? Je vous remercie de m'y faire penser, surtout la veille de Noël.

À cet instant, Loustic traversa la salle à manger au grand galop, traînant un os aussi long que sa queue.

— Qui lui a donné ça ? piailla Tatan en bondissant de sa chaise.

— Les chiens n'aiment pas les os ? s'étonna Nadia. J'ai cru bien faire.

— Vous êtes folle, ma parole !

Scandalisée par l'apostrophe, Nadia avait involontairement redressé le biberon et le bébé se mit à pleurer. Dès qu'il se tut, en retrouvant sa tétine, on put entendre une série de grognements et de jappements en provenance du salon.

136

— Tu vas te faire mordre ! cria Olympe.

— Je n'aurai jamais de chien, déclara Louis.

Ses filles protestèrent aussitôt qu'il les en avait privées dans leur enfance.

— Moi, j'en ai un, annonça la fille de Pauline. Mais je l'ai laissé chez moi avec mon petit ami.

— Tu as un fiancé ? s'émerveilla Olympe. Et tu l'as abandonné un soir de réveillon ?

— Il fait la fête avec des copains, je les retrouverai tout à l'heure.

— Des copains qui n'ont pas de famille ? Il faut manquer de cœur pour être loin des siens un soir comme celui-ci. D'ailleurs, tu aurais pu inviter ton fiancé, j'ai les idées larges.

— Je ne suis pas fiancée, grand-mère ! C'est juste mon mec en ce moment.

— Seigneur ! Tu t'exprimes de façon révoltante, ma petite-fille.

— Quelle race, ton chien ? voulut savoir Tatan.

Elle tenait victorieusement l'os de dinde mais avait le dos de la main lacéré.

— Un caniche.

— Si tu ne termines pas tes études de médecine, tu pourras toujours te lancer dans un numéro de cirque, marmonna Louis.

Étudiant, il avait raté le concours d'entrée en médecine et s'était rabattu à regret sur dentaire. Cette ancienne frustration se trouvait ravivée par la réussite de sa nièce qui accomplissait à présent sa dernière année.

Olympe avait commencé à découper la bûche, tranchant de larges parts dont personne n'avait envie.

— Aucun de mes petits-enfants ne va donc se décider à m'annoncer un mariage ?

— En ce qui le concerne, ce ne sera pas pour tout de suite, plaisanta Nadia qui berçait son bébé.

— Je ne parlais pas de lui, que je ne verrai sûrement pas grandir, mais des cinq autres, répliqua froidement Olympe.

Avec un bel ensemble, les jeunes gens annoncèrent qu'ils n'étaient pas pressés et comptaient profiter de la vie d'abord.

— Quelle époque…, soupira Olympe.

— Et puis, si c'est pour divorcer, dit l'une des filles de Louis en fixant son père, autant ne pas se marier !

Avec un hoquet, le bébé régurgita du lait.

— Franchement, c'est dégoûtant, s'emporta Olympe. Vous ne voulez pas le mettre ailleurs ?

— Pour qu'il s'étouffe ?

Le mari de Pauline repoussa son assiette et alluma un cigarillo. Aussitôt, les jeunes sortirent leurs paquets de cigarettes. Vaincue, Nadia quitta la salle à manger en emportant le couffin.

— Vous ne faites rien pour la mettre à l'aise, maugréa Louis.

Il se leva pour aller entrouvrir une fenêtre mais Olympe l'en empêcha.

— Bon sang, je ne chauffe pas la rue, ferme ça immédiatement ! La fumée ne me dérange pas, je te rappelle que ton père appréciait la pipe et le cigare. À ce moment-là, personne ne faisait d'histoires. Les hommes politiques fumaient, les journalistes à la télévision, les artistes, les étudiants, tout le monde !

— Je l'ai installé dans votre chambre, annonça Nadia, et j'ai fermé la porte à cause du chien… et du tabac.

— Dans ma chambre ? répéta Olympe, incrédule.

Elle faillit ajouter quelque chose mais se ravisa et réclama le champagne qui aurait dû accompagner le dessert. Prise en faute, Tatan fila à la cuisine d'où elle rapporta deux bouteilles qu'elle posa devant Louis. Le premier bouchon partit comme un boulet de canon et fit voler en éclats l'une des ampoules du lustre.

— Tu les as secouées ou quoi ? ronchonna Louis.

Dans un grésillement inquiétant, le lustre s'éteignit.

— Tu ne pouvais pas faire attention ? Tu as provoqué un court-circuit !

— On appellera l'électricien, glissa Tatan. Mais il a déjà dit qu'il faudrait remplacer tous ces vieux fils par…

— Hors de question !

Pauline eut la bonne idée d'aller actionner l'interrupteur pour couper le courant. En se rasseyant, elle constata que la lumière des bougies de Noël était suffisante, et surtout plus douce.

— Encore un peu de bûche ? proposa Tatan.

— Je n'en peux plus, j'ai trop mangé, affirma Louis.

— Tu devrais te mettre au régime, insinua Pauline, tu prends de la bedaine. Comme tous les hommes à partir d'un certain âge.

— Veux-tu qu'on parle de toi ? répondit-il sèchement.

— Vous n'allez pas recommencer ? se fâcha Olympe. Ne pourrons-nous jamais avoir un réveillon paisible ?

— Tu t'embêterais, grand-mère ! lança la fille de Pauline.

Elle but sa coupe d'un trait puis annonça qu'elle allait retrouver ses copains et son homme. Ce fut un véritable signal de départ pour les jeunes gens qui disparurent ensemble.

— Ils vont fumer un pétard sous la porte cochère, prédit le mari de Pauline sans s'émouvoir.

La table était dévastée, la cire des bougies coulait le long des chandeliers et la bûche s'était transformée en soupe dans les assiettes.

— Nous avons de la route à faire, finit par murmurer Nadia.

— Tu conduis ? suggéra Louis.

Ayant obtenu son accord, il en profita pour resservir une tournée de champagne pendant qu'elle allait chercher le bébé.

— Le dîner était délicieux, Tatan ! claironna Pauline.

Elle but quelques gorgées debout, pressée de s'en aller elle aussi. Comme chaque année, Olympe ne fit rien pour les retenir et, sur les vaines promesses de se revoir « bientôt », elle referma la porte palière derrière eux, écourtant les adieux.

Plantée entre la salle à manger et le salon, Tatan était en train de se lamenter sur le désordre.

— En plus, lui signala Olympe, Loustic a pissé dans l'entrée.

— Je n'ai pas eu le temps de le sortir, je suis restée dans la cuisine toute la journée !

Elle fila chercher une serpillière, nettoya les dégâts. En revenant, elle vit qu'Olympe s'était rassise à sa place à table.

— Il reste du champagne, ce serait dommage de le gâcher. On finit ? Tu rangeras demain.

Faisant tourner sa coupe devant la flamme d'une bougie pour regarder la course des bulles, elle parut songeuse un instant.

— Eh bien, voilà une bonne chose de faite... Reste à remiser toutes ces horreurs de cadeaux dans un carton pour la cave.

— Le décapsuleur aussi ? Ça peut servir.

— *Surtout* le décapsuleur. Enfin, je pense qu'ils étaient contents ! Si je ne faisais pas l'effort de les réunir, ils se retrouveraient chacun chez eux comme des idiots à Noël. Et tu sais quoi ? Je crois qu'ils aiment les traditions. Alors, tant que je serai là...

Tatan hocha la tête d'un air entendu puisqu'elle donnait toujours raison à sa sœur.

En bas, devant l'immeuble, le reste de la famille échangeait des embrassades et des impressions.

— La dinde était quasiment immangeable, déclara Louis.

— Mais pourtant moins mauvaise que la bisque, renchérit le mari de Pauline.

— Maman ne s'arrange pas, et Tatan non plus, soupira Pauline. J'en ai par-dessus la tête, de ces réveillons sinistres !

— On pourrait peut-être s'en dispenser l'année prochaine ? suggéra Nadia.

Les autres, y compris Louis, la contemplèrent comme si elle venait de proférer une énorme bêtise.

— Je ne crois pas, non..., dirent-ils presque en chœur.

Il y eut une seconde de flottement, puis Pauline tapota l'épaule de Louis.

— Maman ne nous le pardonnerait pas, hein ?

— Et Tatan aurait de la peine.

— Alors, à l'année prochaine, vieux frère !

Se tournant le dos, ils s'éloignèrent vers leurs voitures respectives sans jeter un seul regard en arrière.

UN JOYEUX NON-ANNIVERSAIRE

D'un dernier coup d'œil, Marianne vérifia que tout était bien à sa place. Comme chaque année depuis bientôt dix ans. Non, pas *bientôt*, ça faisait aujourd'hui exactement dix ans…

Dix ans que Malo ne venait pas fêter son anniversaire avec sa mère, son frère et sa sœur. Mais Marianne s'obstinait, continuait d'espérer, et lui trouvait des excuses auxquelles elle croyait fermement. Son fils aimait tant les voyages ! Combien de fois avait-il fait le tour du monde et raté la date, ayant toujours promis d'être là mais n'arrivant jamais ? Il était fantasque, imprévisible, mystérieux. Du moins était-ce ainsi que sa mère le voyait, si éperdue d'amour pour ce petit dernier conçu à Saint-Malo un soir de tempête.

Ses aînés, Vincent et Sophie, avaient choisi des voies classiques. Vincent était un manuel et, après une solide formation d'électricien, il avait monté sa petite entreprise qui allait cahin-caha. Pour sa part, Sophie avait obtenu son diplôme d'infirmière et travaillait dans un hôpital où elle semblait se plaire. Tous deux étaient mariés, toutefois ils ne conviaient plus leurs conjoints à cet anniversaire fantôme. Ils acceptaient de mauvaise grâce l'invitation de leur mère, sachant qu'elle aurait mitonné un bon repas, sorti sa plus jolie vaisselle, acheté un cadeau. Ils étaient là pour amortir sa déception mais ne se faisaient pas d'illusions : Malo ne viendrait pas. À force de subir son absence comme un affront, ils ne lui accordaient plus aucun crédit. Durant tout le dîner, forcément tardif puisqu'on attendait plus que de raison, ils échangeaient des regards navrés et multipliaient les compliments à l'adresse de leur mère pour tenter malgré tout de sauver la soirée. Marianne faisait bonne figure jusqu'au bout, cependant elle mangeait à peine et, dans les silences, guettait le bruit de la sonnette.

Ce soir-là ne dérogea pas à la règle. Après un interminable apéritif, quand la bouteille de champagne fut vide et les feuilletés au fromage mangés jusqu'au dernier, Malo n'était toujours pas arrivé. Il fallut bien passer à table. Complaisant, Vincent alluma les bougies dans les chandeliers tandis que Sophie prenait des nouvelles. Leur mère, secrétaire dans un cabinet d'avocats, gagnait correctement sa vie sans rouler sur l'or, et si ses horaires étaient parfois fatigants, elle appréciait son travail.

— Encore deux ans avant la retraite ! Remarquez, je ne suis pas pressée, j'ai peur de m'ennuyer…

— Tu voyageras, suggéra Sophie.

— Et tu t'occuperas du jardin, tu dis toujours que tu n'as pas le temps, ajouta Vincent.

Elle habitait la même maison coquette, dans la banlieue de Rouen, où elle avait élevé ses trois enfants. Leur père était parti un beau matin, alors que Malo venait d'avoir sept ans. Effondrée, Marianne n'avait ni compris ni admis ce départ brutal. Pourtant la cause en était simple, presque banale : son mari avait rencontré une femme plus jeune et il voulait refaire sa vie. Seule face aux enfants, Marianne avait relevé la tête. Bien soutenue par ses patrons lors du divorce, elle avait obtenu la garde des enfants et la pension alimentaire qui allait avec. Au début, son ex-mari avait parfois accueilli les petits, le temps d'un week-end, puis le lien s'était distendu peu à peu et ils s'étaient vus moins souvent, tout en conservant des rapports affectueux.

Marianne aurait pu se chercher un nouveau compagnon mais elle ne l'avait pas fait, se bornant à quelques discrètes aventures éphémères. Entre son métier et ses trois enfants, son existence lui avait semblé suffisamment pleine. D'autant plus que Malo était un gamin très turbulent, ce qui lui avait valu des convocations par les instituteurs puis les professeurs, des cours particuliers et des inscriptions à toutes sortes de sports et activités. Mais Marianne avait un faible pour lui, ce qu'elle tentait tant bien que mal de cacher aux deux aînés. Ce garçon intrépide et brouillon la faisait rire malgré elle, et surtout il lui rappelait les temps heureux, quand son mari l'aimait encore et l'emmenait dans des auberges romantiques au bord de la mer. Les remparts de Saint-Malo, la plage de l'Éventail et la chaussée du Sillon, les grandes marées… Elle en conservait un souvenir terriblement nostalgique, et elle était revenue avec Malo, ce minuscule embryon qui allait envahir toute son existence.

Si Malo avait obtenu son permis de conduire du premier coup, il avait raté deux fois son bac. Méprisant le système, il avait renoncé aux études le cœur léger et exercé d'innombrables petits boulots. Bien sûr, il dépensait l'argent plus vite qu'il ne le gagnait, néanmoins il ne réclamait rien, il « se débrouillait ». Du jour où il s'était embarqué sur un cargo, il avait contracté la passion des voyages et n'était plus revenu que rarement à la maison. Alors, pour l'attirer, Marianne avait eu l'idée de cette date anniversaire qui les réunirait, mais Malo ne s'était présenté que les deux premières années. Ensuite… les prétextes s'étaient succédé.

— Où était-il, ces derniers temps ? demanda prudemment Sophie.

— Du côté de Chypre ! répondit Marianne d'un ton triomphant.

Grâce aux cartes postales qu'il lui envoyait, elle pouvait se targuer de savoir quels points successifs du globe son fils touchait.

— Il s'y trouvait au début du mois et n'avait plus que la Méditerranée à franchir, ajouta-t-elle.

— Évidemment, c'est moins loin que Caracas ou Madagascar, ironisa Vincent.

Sophie observa sa mère quelques instants avant de risquer :

— Maman… Tu sais qu'il ne viendra pas, n'est-ce pas ?

— Pourquoi dis-tu ça ?

— Parce qu'il ne vient *jamais*.

— Mais cette fois, il a promis !

— Comme toutes les autres.

— Non ! Il m'a téléphoné la semaine dernière, et il se réjouissait par avance de vous revoir enfin et de passer ce moment en famille. Je lui ai même demandé quel cadeau lui ferait plaisir !

146

— Et alors ?

— Il voulait des jumelles, avoua Marianne avec un geste vers le paquet qui attendait près de l'assiette vide.

Sophie et Vincent échangèrent un nouveau regard consterné. Les jumelles iraient rejoindre au fond d'un placard d'autres paquets toujours emballés.

Il arrivait tout de même que Malo passe, à l'improviste et à n'importe quelle période de l'année. Serrant sa mère dans ses bras, il s'excusait de ses absences, promettait de venir plus souvent, puis repartait sans s'attarder. Durant ces brèves visites, Marianne ne sortait pas les cadeaux du placard, pour ne pas avoir l'air de vouloir à tout prix le retenir ou, pire, le culpabiliser. Elle aurait pu les lui expédier, malheureusement Malo voyageait trop pour avoir une adresse fixe.

— Que fait-il, en ce moment ? s'enquit Sophie.

— Il travaille sur un porte-conteneurs. Tu le connais, du moment qu'il bouge et qu'il voit du pays, il est content !

— Pas de femme dans sa vie ?

— Il n'en a pas parlé, reconnut Marianne. Je suppose qu'il multiplie les conquêtes et ne s'attache à aucune…

Elle semblait flattée à l'idée que son cadet soit un séducteur : beau, grand et athlétique, il avait des yeux de velours brun, une voix charmeuse et un rire très communicatif.

— Je trouve qu'il te manque de respect, dit soudain Vincent. On ne traite pas sa mère de cette façon ! Il est désinvolte, égoïste et indifférent.

— Qu'est-ce qui te prend ? riposta Marianne, aussitôt sur la défensive. Tu veux gâcher la soirée ?

— Elle l'est déjà, ma pauvre maman ! Comme chaque année, non ? Mais tu t'acharnes, tu t'aveugles, et tu nous obliges à faire semblant d'y croire, c'est pathétique. Ce faux anniversaire est une mascarade annuelle à laquelle je ne participerai plus.

— Je n'oblige personne, soupira Marianne en se levant.

Elle gagna la cuisine, laissant ses enfants désemparés et silencieux.

— Tu n'as pas tort, finit par chuchoter Sophie. Il faut que ça s'arrête, c'est devenu trop pénible.

Ensemble, ils consultèrent leurs montres. Le malaise s'aggravait, d'année en année. Ni le mari de Sophie ni la femme de Vincent ne comprenaient ce rituel familial et ils n'avaient plus la patience de plaindre leur belle-mère, allant jusqu'à la trouver ridicule ou même folle.

— Vous prendrez du dessert ? lança sèchement Marianne.

Elle se tenait sur le seuil, le gâteau d'anniversaire à la main. Elle n'avait évidemment pas allumé les trente petites bougies plantées de guingois dans la meringue, mais ne les avait pas enlevées non plus afin de ne pas massacrer la pâtisserie. Éprouvant une soudaine bouffée de compassion, Sophie se leva et la rejoignit.

— Maman… Pourquoi t'infliges-tu ça ?

Lui ôtant le gâteau des mains, elle alla le déposer sur la table, revint vers sa mère qu'elle prit dans ses bras et raccompagna à sa place.

— Veux-tu qu'on t'aide à débarrasser, à tout ranger ?

— Non, je le ferai. Allez-vous-en puisque vous êtes si pressés !

— Tu appelles ça une *bonne* soirée ? explosa Vincent. Si au moins tu te mettais en colère contre le seul responsable de ce gâchis, au lieu de t'en prendre à nous ! Mais non, Malo a toutes les excuses, c'est l'éternel absent idéalisé, le grand voyageur retardé malgré lui, et nous les méchants parce qu'on refuse d'y croire. Quand tu fêtes *nos* anniversaires, nous sommes toujours ponctuels et heureux d'être là. Nous ne te faisons pas tourner en bourrique comme ce petit crétin de Malo.

— N'insulte pas ton frère.

— Mais ouvre les yeux, à la fin ! Malo vit sa vie, c'est son droit, et d'ailleurs il a choisi de ne pas rester dans tes jupes alors que tu le maternais, tant mieux pour lui. Malheureusement, tu n'arrives pas à t'en détacher, tu voudrais toujours que ton petit garçon chéri soit là pour souffler ses bougies. Il n'en a rien à foutre, admets-le une bonne fois pour toutes !

Un silence glacial s'abattit sur la table. Sidérée par la brutalité de Vincent, Marianne ne réagissait pas. Sophie s'agita un peu sur sa chaise, incapable de décider si elle devait donner raison à son frère ou prendre la défense de leur mère.

— Rentrez chez vous, on doit vous attendre, finit par murmurer Marianne.

Vincent hésita un instant, puis se leva. Il était déterminé à marquer le coup pour que ce sinistre dîner d'anniversaire soit le dernier. En rudoyant sa mère il pensait sincèrement lui rendre service, et il se sentait soulagé d'avoir enfin dit ce qu'il avait sur le cœur. À trop vouloir la ménager, Sophie et lui avaient commis l'erreur

149

d'entrer dans un jeu malsain dont ils devaient maintenant s'échapper.

— Tu viens ? lança-t-il à sa sœur. Si tu veux, je te dépose.

Ils embrassèrent leur mère tour à tour, et Sophie lui glissa un mot gentil.

— C'était très bon, maman… Et n'oublie pas que tu viens déjeuner à la maison dimanche. J'essaierai de faire aussi bien que toi !

Marianne les laissa partir, plaquant un sourire forcé sur son visage. Toujours assise à table, elle considéra les reliefs du repas et le gâteau intact. Elle méritait ce qui venait de se produire, elle le savait. Depuis trop longtemps, elle défendait l'indéfendable. S'entêter ne changeait pas la réalité. Au lieu d'être obnubilée par Malo, elle devait préserver ses deux aînés et leur prouver qu'elle les aimait tout autant que le petit dernier. Non, elle ne réaliserait pas son rêve de réunir toute sa famille, elle ne reformerait pas la tablée au grand complet, autant se résigner.

Fatiguée, découragée, elle posa ses coudes sur la table. Dimanche, elle irait chez Sophie, verrait son gendre et ses petits-enfants et ne songerait plus à Malo jusqu'à la prochaine carte postale. Elle avait cuisiné toute la journée, préparant avec amour une terrine de saint-jacques et une poularde aux morilles et aux girolles dont Malo raffolait. Un beau repas de fête qui l'avait longtemps retenue devant les fourneaux. Malgré leur mauvaise humeur, Vincent et Sophie l'avaient apprécié. Mais il y avait beaucoup de restes. Marianne avait vu trop grand, comme toujours. Et à présent, il fallait qu'elle débarrasse la table et qu'elle fasse la vaisselle puisqu'elle avait refusé l'aide de ses enfants. La tête sur ses bras repliés, elle décida de s'accorder encore cinq minutes de pause. Après tout, elle pouvait faire ce qu'elle voulait, se coucher à n'importe quelle heure, ne ranger que demain. L'indépendance était la contrepartie d'une solitude qui, parfois, lui pesait. Le premier jour de sa retraite, elle irait choisir un chien dans un élevage. Ce serait un bon compagnon pour entreprendre de longues promenades ou pour regarder la télévision côte à côte sur le canapé. Un être vivant à qui parler, même s'il ne répondait pas, et à qui raconter ses soucis ou ses souvenirs. Comme celui d'un certain week-end à Saint-Malo…

Le bruit de la porte d'entrée la fit se redresser d'un bond. Elle ne l'avait pas verrouillée après le départ des enfants !

— Maman ? Je t'ai fait peur ?

L'espace d'un instant, éperdue, elle crut entendre Malo, hélas ce n'était que Vincent, flanqué de Sophie.

— Vous avez oublié quelque chose ? bredouilla-t-elle.

Elle se sentait un peu hébétée, elle avait dû s'endormir.

— Non, nous n'avons rien oublié, en revanche nous avons rencontré quelqu'un.

Tout sourire, ils s'écartèrent, et elle découvrit avec stupeur que Malo se cachait derrière eux.

— Tu es venu ! s'écria-t-elle en se précipitant. Oh, mon fils, mon petit…

Le *petit*, beaucoup plus grand qu'elle, la serra longuement dans ses bras.

— Ce n'est pas ma faute si j'ai manqué le dîner, le TGV a pris du retard entre Marseille et Paris. Après,

151

j'ai eu beau courir dans le métro pour changer de gare, j'ai raté le train de Rouen et j'ai dû attendre le suivant, qui était d'ailleurs le dernier. Un peu plus et je dormais à Saint-Lazare !

Il semblait en forme, bronzé, à l'aise, apparemment heureux de se retrouver en famille.

— Je suis tombé sur ces deux-là en descendant de mon taxi, ajouta-t-il avec un geste vers son frère et sa sœur. Et figure-toi qu'ils m'ont d'abord infligé toute une leçon de morale alors que je rêvais de manger enfin quelque chose…

— Je fais tout réchauffer ! s'écria Marianne, radieuse.

Elle remporta le gâteau dont elle allumerait les bougies plus tard. Versant les restes de la poularde dans un plat en fonte, elle alluma le four. Son excitation était telle que ses mains tremblaient. Malo était là, elle n'en revenait pas, son rêve s'était réalisé !

Une idée lui traversa brusquement l'esprit et elle s'immobilisa. Et si… Et si, justement, elle était en train de rêver ? N'allait-elle pas se réveiller, la tête dans ses bras croisés sur la table dévastée ? Elle se pinça le bas de la joue, à un endroit sensible, sans obtenir de certitude. Parfois, on rêve qu'on rêve, on rêve qu'on tombe, on rêve qu'on se pince la joue…

Dans le séjour, ses trois enfants discutaient avec animation, elle entendait leurs rires et leurs éclats de voix. Rêver ce moment béni serait bien trop cruel… Non, non, elle était forcément dans la réalité de sa vie, elle devait savourer sa chance au lieu de douter. À la hâte, elle découpa une tranche épaisse de la terrine de saint-jacques, la mit sur une assiette avec un morceau de pain et servit un verre de vin, puisqu'il ne restait plus de champagne. En saisissant le plateau, elle redoutait encore de se réveiller. Ce serait si atroce d'émerger, la bouche pâteuse et l'esprit embrumé, dans le silence de sa maison déserte. Pour conjurer cette possibilité, elle marqua un temps d'arrêt sur le seuil de la cuisine, ferma les yeux un instant et se fit la promesse solennelle de ne plus jamais organiser ce stupide anniversaire. De ne plus contraindre Vincent et Sophie à venir jouer les figurants, de ne plus harceler Malo sur une date précise.

Rouvrant les yeux, elle avança et faillit trébucher, comme lorsqu'on rate une marche dans un rêve…

Table des matières

POCKET N° 17261

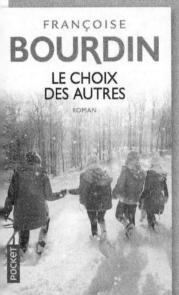

Vivre entre amis : leur définition du bonheur. Et puis, un jour, la Jalousie s'invite...

Françoise BOURDIN
LE CHOIX DES AUTRES

Amis depuis le lycée, deux garçons passionnés de montagne, Lucas et Virgile, ont entraîné leur famille au cœur des Alpes-de-Haute-Provence et, depuis, quatre adultes et deux fillettes vivent en harmonie sous le même toit à neuf cents mètres d'altitude. Mais cette belle entente résistera-t-elle au retour dans la région de l'ex-mari de Clémence, qui n'a pas supporté leur séparation et est bien décidé à récupérer celle qu'il considère encore comme sa femme ?

C'est la Jalousie en personne qui s'invite au chalet, au risque de contaminer ses habitants...

Retrouvez toute l'actualité de Pocket sur :
www.pocket.fr

POCKET N° 17014

FRANÇOISE
BOURDIN

FACE À LA MER

ROMAN

POCKET

« *Un roman pudique
et émouvant.* »

**« Le livre du jour »,
France Info**

**Françoise BOURDIN
FACE À LA MER**

Pour Mathieu, hyperactif acharné, son métier est toute
sa vie. Il a consacré son énergie à fonder et faire vivre sa
librairie. Au point d'avoir négligé son premier mariage
et sa fille Angélique. Jusqu'à ce jour de trop, jusqu'au
burn-out. Alors Mathieu abandonne tout, sa compagne
Tess, sa fille, ses employés, et part se réfugier dans la
maison qu'il a achetée à son vieil ami César. L'esprit
désespérément vide et le reste à distance, il se demande
comment remonter la pente. En acceptant finalement
l'aide d'Angélique, les attentions amoureuses de Tess, en
explorant son passé, en puisant en lui-même, il va devoir
faire face au danger qui menace soudain son existence...

Retrouvez toute l'actualité de Pocket sur :
www.pocket.fr

Composition et mise en pages
Nord Compo à Villeneuve-d'Ascq

Imprimé à Barcelone par:
BLACK PRINT
en janvier 2019

S29128/01